Sen git
AŞK
bana kalsın

Mehmet Coşkundeniz

NEDEN KİTAP

SEN GİT AŞK BANA KALSIN / Mehmet Coşkundeniz

Yayın Yönetmeni: Ece Özbaş • Editör: Şenay Tufan
• Bilgisayar Uygulama: Bora Börü • Kapak Tasarımı: Onur Gökalp
• Basın ve Halkla İlişkiler: Alev Aksakal
Baskı-Cilt: Melisa Matbaası

2. Baskı / Ekim 2004   100.000 adet

ISBN: 975-254-006 -X

NEDEN KİTAP
Yayıncılık Hizmetleri San. Tic. Ltd. Şti. Büyükdere Cad. Tevfik
Erdönmez Sok. Diker Apt. No: 26/5 Esentepe/İSTANBUL
Tel: 0 212 273 22 34 Fax: 0 212 273 25 19
web: www.nedenkitap.com
e-mail: info@nedenkitap.com
yazarın e-maili: mcdeniz@posta.com.tr

GENEL DAĞITIM:
Yeni Çizgi Yayın Dağıtım Ltd. Şti.
Gürsel Mah. Alaybey Sok. No:7 Kağıthane-İstanbul
0 212 220 57 70 (pbx) Fax: 0 212 222 61 55
internet adresi ve online alışveriş: www.yenisayfa.com

Sen git
AŞK
bana kalsın

Mehmet Coşkundeniz

NEDEN KİTAP

Yazara Dair

Mersin'de doğdu. Deniz kıyısında bir evde büyüdü. Üniversite'yi kazanıp İstanbul'a geldi. İstanbul Üniversitesi İletişim Fakültesi Gazetecilik ve Halkla İlişkiler Bölümü'nü bitirdi. Gazeteciliğe 1987 yılında Güneş Gazetesi'nde stajyer muhabir olarak başladı. Sonra polis muhabirliğine terfi etti. Çeşitli gazetelerde muhabirliğe devam ettikten sonra 1994'te televizyonculuğu denedi. Çalıştığı programlarda hem muhabirlik, hem metin yazarlığı hem de yönetmen yardımcılığı yaptı. Yazmayı sevdiği için tekrar gazeteciliğe döndü. 1995'te Posta Gazetesi'nde gece sorumlusu olarak işe başladı. 1997'de aynı gazetenin haber müdürü oldu. Halen bu görevini sürdürüyor.

1999'un başında Posta Gazetesi'nde cumartesileri köşe yazıları yayınlanmaya başladı. Yazılarında aşkı, sevgiyi ele aldı. Yazılar kısa sürede büyük ilgi çekti. 'Aşk Doktoru' sayfasını hazırlamaya başladı. Bu sayfada, aşkın her haline değindi, okuyucuların sorularını yanıtladı. Aşk Doktoru'nu radyoya taşıdı, 2003 Nisan-2003 Haziran tarihleri arasında aynı adla Radyo D'de program yaptı.

Köşe yazılarını derlediği "Aşk Bize Yakıştı" adlı ilk kitabı Mart 2003'te yayımlandı ve olağanüstü ilgi gördü. Aşkla ilgili durum tespitlerini içeren ikinci kitabı "Alev Alev Aşk" Kasım 2003'te piyasaya çıktı ve çıktığı hafta çok satanlar listesine girdi. "Sen Git Aşk Bana Kalsın" yazarın üçüncü kitabıdır.

Mehmet Coşkundeniz cumartesi günleri Posta'da köşe yazılarına, pazar günleri de Posta'nın pazar eki Pazar Posta'sı'nda da Aşk Doktoru sayfasını yayımlamaya devam ediyor.

Önsöz

Bana hep "Neden aşkı yazıyorsun?" diye soruyorlar. Ben de "Aşk hayattır, aşkı yazmak hayatı yazmaktır" diye cevap veriyorum. Bugüne kadar bana yaklaşık 50 bin mektup, faks ve elektronik posta gönderildi. İşte bu gönderilerden öğrendim ki, her aşk başka bir hayat aslında. Herkes aşkı kendi koşullarınca yaşıyor. Ne kadar insan varsa o kadar da aşk var. Buradan yola çıkarsak eğer, aşkı yazmak, insanı yazmak oluyor aynı zamanda. Ve insan, yaz yaz bitmez bir öyküdür. Ben aşkı, aşkta insanı, insanda duyguyu yazmaya devam ediyorum ve bu serüvenin asla bitmeyeceğini de biliyorum.

Türkiye gibi ne tam gelişmiş ne de geri kalmış ülkelerde (Aslında bunun Türkiye'den başka bir örneği var mı, o da tartışılır) aşkı yaşamak kolay bir şey değil. Ülkenin bazı bölgelerinde genç kız ve erkekler aşkın tüm unsurlarını hayata geçirme fırsatı bulabilirken, bazı yörelerde el ele tutuşmak bile ayıp sayılabiliyor, hâlâ ve ısrarla. Bana gelen mektuplardan bir tanesinde Rize'den yazan bir genç kız, bir taksi şoförüyle bir kez buluştuğunu, sahile gittiklerini, bir bankta oturduklarını, şoförün kendisini dudağının kenarından öptüğünü ve o buluşmadan sonra bir daha hiç aramadığını söyleyip şunu soruyordu: Acaba kullanıldım mı?

Bir öpücüğün "kullanılma" olarak algılanmasının nedeni sadece toplumun değer yargılarıyla açıklanamaz. Bilgisizliğin de rolü büyüktür. Ve ben asıl, aşk konusundaki bilgi eksikliğinin üzerinde duruyorum. Bu yüzden yazılarımı entelektüel kaygılarla değil, o Rize'deki genç kız da anlasın diye yazıyorum.

Bu kitaptaki yazıların kimisi kişisel duygularımı, kimisi gözlemlerimi, kimisi de duyduğum bir tek kelimenin bende yarattığı çağrışımları anlatıyor. Yazıların tamamı daha önce Posta Gazetesi'nde yayımlandı. Ancak ilk iki kitabımda olduğu gibi istedim ki, bu yazılar iki kapak arasına girsin, hem arşiv olsun hem de benim yazılarımı defterlerine yapıştıranlara, dosyalarda saklayanlara kolaylık olsun.

Çok kitap okuyan biri olduğum için bilirim, uzun önsözler okuyucuyu sıkar. Hatta önsözü okumadan kitabın aslına geçer okuyucu. Ancak teşekkür etmeden geçemeyeceğim bazı insanlar var. Öncelikle okuyucularıma şükran borçluyum, beni hiç yalnız bırakmadıkları için. Yayımcım sevgili Necati'ye de teşekkür ediyorum, benimle uğraştığı ve beni harekete geçirdiği için. Yayın yönetmenim Rıfat Ababay'a teşekkür ediyorum bu yazıları gazeteden size ulaştırmama imkan tanıdığı için. Mektupları ve benim arkamı derleyip toplayan sevgili Aşk Hemşiresi Miray Kafadar da teşekkürü hak ediyor. Ve elbette "aşk" var bir de teşekkür bekleyen. Aşk diye bir şey olmasaydı, bu yazıların hiçbiri olmazdı...

İçindekiler

Aşk...

Yoksun...

...ve kadın

Seninle...

Sen sözcükleri ölümsüz kılansın... Sen umudun,
sen aşkın, sen özlemin, sen hayatın adısın...
Şimdi içimde çoğalttığım sesimle haykırıyorum,
herkes duysun diye...
Hiç kimse sevdama senin kadar yakışmadı
ve sevdam hiç kimseyi senin kadar yaşatmadı...

Her an daha çok...

Çoğalarak seviyorum seni, giderek daha çok... Her şeyi yeniden öğrenir gibi, öğrendiklerimi biriktirir gibi, çoğala çoğala. Uzaklığında da, yakınlığında da, her zamanda ve her mekanda...

Geceleri kısaltıp gündüz oluyorsun, gündüzleri bitirip yıldız oluyorsun. Daha çok seviyorum seni, yaramın kanamasını kesen bir ilaç gibi. Bir kıvılcımdan, bir yangına dönüşür gibi, büyüyerek ve daha çok. Her an daha çok.

Seni sevmenin nöbetini tutuyorum, yüreğim ellerinde. Karda, kışta, deli yağmurda. Mavide ve yeşilde. Parlaklığı giderek artan bir çiçek gibi. Sevdikçe çoğalıyor benim parlaklığım da...

Sevdikçe çoğaltıyorum seni, çoğaldıkça daha çok seviyorum. Yollardaki sisi savuruyorum, rüzgâr oluyorum. Aydınlığa koşuyorum. Yüzünü taşıyorum rüyalarıma, ellerin darılıyor, onları da çağırıyorum. Gülüyorsun, gülüşüne hayran oluyorum. Sevdikçe hayranlığım da çoğalıyor.

Sevdam hep bir an öncesinden daha büyük. Aşkım, daha kararlı, bulmuşken seni kaybetmemek adına. Seni seviyorum, yaşama sevincim çoğalıyor, içimdeki kuşlar çoğalıyor, kanat çırpışlarını dinle. Hepsi senin aşkına uçuyor. Görmesek de birbirimizi ne gam! Varsın işte, oradasın. Onca aşk öğretemedi; ama, şimdi yalnızken de öğreniyorum seni sevmeyi. Öğrendikçe daha da çoğaltıyorum seni sevmeyi. Özlem aşkın çiçeği, özlemle birlikte aşkın da çoğalıyor.

Kaç acının sınavından geçtim ve başardım sonunda. Bir tek acıyı azaltıyorum içimde, seni çoğaltıyorum, çoğalttıkça acı yok oluyor. Şimdi yıldızları daha büyük gecelerin, daha çok. Seninle birlikte yıldızlar da çoğalıyor.

Korkma, ne kadar çoğalırsan çoğal, yüreğim aşkını taşırmayacak kadar büyük. Sana dair ne varsa hepsini taşıyacak kadar güçlü. Senden gelecek her şeyi kucaklamaya hazır. Seni çoğalttıkça atacak. Geleceğini bilirse, sensizliğe de dayanacak. Ve sevgilim bu aşk seni de çoğaltacak...

(Esra Koyuncu'nun Gece Nöbeti adlı şiirine nazire olarak yazdım.)

Ay parçası sevgilim

Ağladığın zaman yanaklarından süzülüyor ya gözyaşı, ben o zaman ölüyorum işte. Seni üzen ne varsa hepsiyle savaşmak, bir bir yok etmek istiyorum. En değer verdiğim şey sensin. Hep gül istiyorum, çünkü mutluluğu hak ediyorsun. Sevilmeyi hak ediyorsun.

Aşklar zamanla erozyona uğrar ya, benimki öyle değil bebeğim. Her an, daha çok seviyorum seni. Hep daha çok. Bir önceki günden farklı, daha heyecanlı, daha tutkulu. Seni sevmeyi yazıp, seni sevmeyi okuyorum. Senden önce de bir hayatım vardı evet; ama, şimdi senden öncesini anmıyorum. Anılarımı sadece seninle doldurmak istiyorum. Senli anılarım olsun, onları anlatayım. Dinleyen hayran olsun, kıskansın. Onlar kıskandıkça ben övüneyim "İşte benim sevgilim" diyeyim.

Sensiz olmanın düşüncesi bile deli ediyor beni. "Ya gidersen" diye düşündüğümde üşüyorum, titriyorum, korkuyorum. Direnme gücüm azalıyor, bir yok oluşun başlangıcındaymışım gibi hissediyorum. Seni kaybetmeyeceğime dair yeminler ediyorum o zaman. Sonsuza dek hep seni seveceğime, hep sana bağlı kalacağıma ant içiyorum.

Ah o gülüşün, nasıl da huzur veriyor bana. Nasıl da anlamlı kılıyor yaşamımı. Sen gülerken ben sadece seni izlemek istiyorum. Tanrıya bir kez daha şükrediyorum, seni bana bir melek olarak gönderdiği için. Seni bulmamı sağladığı için. Gerçekten, ya olmasaydın? Kimlerle avutacaktım kendimi? Hangi yalan sözlerle avutacaktım yüreğimi? Hangi sahte aşkın koynunda geçirecektim mutsuz ve anlamsız günlerimi?

Ey ay parçası sevgilim, yaşayabildiğimiz kadar yaşayacağız birlikte. Her bir an bizim için vazgeçilmez olacak. Her bir an tadına doyulmayacak şekilde hafızalarımıza kazınacak. Seveceğiz birbirimizi, sevgiyle besleyeceğiz yüreklerimizi. Kocaman yürekli insanlar olacağız, bizi seven herkese sevgimizden pay ayıracağız. Bir korunak kuracağız iki kişilik dünyamıza, hiç kimse zarar vermesin diye. Biz olacağız, ikimiz olacağız. Biz olmanın ne demek olduğunu anlayacağız, herkese anlatacağız.

"Beni çok sevmeni istiyorum" diyordun ya aşkım, çok seviyorum seni. Hiçbir ifade tarzının anlatamayacağı kadar çok. Ölçülemeyecek kadar çok. Sevgililer Günümüz kutlu olsun...

Bitmeyecek rüya

Sen, ebruli düşlerimin kahramanı. Tüm renklerin kaynağı, gecemin ışığı. Hayat ağacım, can yoldaşım, canım, çiçek kokulu sevgilim sen... Yüreğimi koydum yüreğinin üzerine. Atıyorsa, bil ki senin için atıyor. Ve yaşam ancak senin varlığınla anlam buluyor. Senden önce gördüğüm tüm düşleri görülmemiş sayıyorum. Geçmiş aşklardan kalan tüm izleri birer birer siliyorum. Sana dair her şeyi, yüreğime, beynime kazıyorum. Tüm hücrelerime yayıl, çıkma bedenimden. Hava yerine seni solumak istiyorum, su yerine seni içmek istiyorum yudum yudum. Bir olmak istiyorum seninle, sen olmak istiyorum.

Şimdi yağmur olsan, yağsan üzerime. Islatsan beni sırılsıklam etsen, sonra dokunsan, dokunduğun her yer yaksa tenimi, sıcaklığınla kurutsan. Baksan yüzüme gözlerini hiç ayırmadan, erisem bakışlarında. Dudakların değse dudaklarıma, titretsen içimi, ürpersem...

Sen, güzele dair ne varsa hepsinin sahibi sen. Hep çocuk, hep yaramaz. Güzelliğiyle dayanılmaz... Bir hayran yarattın kendine. Seni izliyorum, sana bakıyorum. Seninle dolduruyorum dünyamı, senden alabileceğim ne varsa hepsini alıyorum. Her gün yeniden, bir kez daha keşfediyorum seni. Her gün artıyor hayranlığım.

Hep aklımdasın, olmadığın bir an bile yok. Tutkuyu tehlikeli bulanlara inat, günah diye adlandıranlara inat en koyu, en deli tutkunun içindeyim seninle. "Büyük aşkların acısı da büyük olur" derler ya, bırak desinler. Seninle olmanın bedeli büyük bir acı çekmekse eğer, seninle geçireceğim bir ana bile değer. Bugüne kadar aşka dair yazılmış ya da söylenmiş tüm kuralların ötesinde bir şey benimkisi. Senden aldığım güçle meydan okuyorum bütün kurallara. Bundan sonra da aşkın kurallarını ben koyuyorum.

Sebepsiz sevenim ben. Seni her şeyinle, olduğun gibi seviyorum. Seni sen olduğun için seviyorum, başka bir sebebe gerek var mı? Dünyanın en şanslı erkeğiyim bu yüzden seni bulduğum için. Tanrının bir armağanısın sen bana.

Sen, sevdamın ortağı, aşkımın çiçeği, gözümün bebeği sen... Ve ben... Bir tek seni yâr bilen... Bir tek seni seven...

Kelebekler kraliçesi

Seni anlatıyor gözlerim, sadece seni. Bitip tükenmek bilmeyen heyecanım deli bir ritmle dans ediyor yüzümde. Adını anarken titriyor dudaklarım. Dört mevsimi aynı anda yaşar mı insan? Yaşıyor yüreğim. Görüyor musun bembeyaz karın ortasında açak kır çiçeklerini? Görüyor musun çiçekten çiçeğe dolaşan beyaz kelebekleri? Özlem dolu kanat çırpışların sahipleri o kelebekler. Beyaz kelebekler... Senin varlığınla doldurdular içimi ve şimdi hiç gitmiyorlar. Bedenimin her yerinde uçarlarken senin ismini söylüyorlar, duyuyorum. Kadifemsi kanatları tenin gibi tıpkı. Dokunsam, incinecekler sanki. Uzaktan baksam, dokunmuyorum diye küsecekler belli. Ve sen kelebeklerin kraliçesi, uzaklığı, varlığınla yakın kılıyorsun. Kelebeklerimi yaşatıyorsun.

Şimdi başka bir dünyadayım. Gözümü açıyorum sen, kapıyorum sen. Sen varsın ya, senden öncesini hatırlamıyorum. Senden önce nasıldı bu hayat? Neler yaşanırdı? Nasıl dile gelirdi sevgi sözcükleri? O zaman da özler miydim ben? Bilir miydim özlem duygusunun ne olduğunu?

Saklamıyorum hasretliğimi. Deli mavi bir özlem benim-
kisi. Özledikçe mavileştiriyorum seni de. Seni, içimde, kele-
beklerimin kanadında, uzaklarda olsan bile taşıyacağıma
inan. Gözlerindeki derinliği, minik hüzünleri, tedirginliği ve
o eşsiz heyecanı unutmayacağıma inan.

Bakışlarımla okşayacağım yüzünü dokunmasam bile.
Adını söyleyeceğim karşımda olmasan bile. Yoldaşın olaca-
ğım bensiz gecelerinde. Bir denizin kıyısında gözlerini ufka
dikmiş bakarken birden ortaya çıkıp içini ürperten rüzgâr
olacağım, saçlarını savuracağım. İçki kadehine değdiğinde
dudakların, benim dudaklarımın tadını alacaksın. Bana susa-
yacaksın, beni içeceksin yudum yudum. İçine akacağım ve
bu akışı hiçbir şey geri çeviremeyecek. Dokun bana. Tenim-
de alev alev yandığını hissedeceksin. Durma, bak gözlerime.
Orada sadece kendini göreceksin.

Söyle kelebekler kraliçesi, ben böylesine yaşarken seni,
gidenlerden olacak mısın? Bu umudu, bu heyecanı, bu özle-
mi, bu tutkuyu bir anda elinin tersiyle itip başka ülkelerde
hüküm sürecek misin? Ya kelebekler? Onları sensizliğe mah-
kum edip ölümle baş başa bırakacak mısın?

En güzel gerçek

Seni yokluğunda bulanlardanım ben. Yoktun; ama, yaşardım seni. Kente ne zaman yağmur yağsa, bir bahar yağmurunda tek bir sözcük bile söylenmeden biten aşkımızın öyküsü gelirdi aklıma. Gençliğin en deli çağlarındaydık o zaman. "Yaprak dökerdi bir yanımız, bir yanımız bahar bahçeydi..." En kahkaha dolu anlarda bile tarif edilmez bir hüzün yansırdı yüzümüzden. Biz en çok o hüznü merak ederdik. Gülüşlerin ardında gizli, üzerini örtmeye çalıştığımız, ikimizden başka kimsenin fark etmediği o hüznü. Bizi birbirimize çeken şey o hüzündü işte...

Kalabalığın ortasında insanları imrendiren kahkahalar atarken, gözlerimiz birbirine kenetlendiğinde susuşumuz bu yüzdendi. Şarkılara yüklenmiş bir aşktı bizimkisi. Söylenmemiş sözlerin tercümanıydı şarkılar. Ve "her şey verilmedi" hiçbir zaman, "gizli kaldı bir şeyler..."

Bilinçsizce çıkılmış bir yolda, ufuk çizgisini görmeden, sisler içinde yürürdük. Birlikteydik; ama, yalnızlık mı cezbederdi bizi, yoksa birbirimizden mi korkardık bilinmez, hep 'tek'tik. Bir kış günü, sıcak iklimlere duyulan özlem gibi özlerdik birbirimizi. O özlem ki, bizi yalnızlığımızdan çıkarır, ancak o zaman 'biz' olurduk.

Sonra aşkın, yaraya dönüştüğü günler geldi. Sana "Ya sen nasılsın?" diye hiç sormazdım; ama, içim kanardı benim. Bitecekti bilirdim. Bitmeyecekmiş gibi davranmanın ruhuma verdiği sıkıntıyı taşımanın ağırlığıyla ezilirdim. Bir sonraki bölümü hakkında en ufak ipucu bile olmayan bir romanı okurken insan nasıl kendini her türlü sürprize hazırlarsa, uyandığım her yeni günün bilinmezlerle dolu olması da böyle bir duygu içine sokardı beni. Ya bugün biterse...

Beklenen son gecikmedi. Doğa yeni yeni uyanırken ve yağmur yemyeşil yaprakları sıcak ve kuru bir yaza hazırlamak için olabildiğince ıslatırken, uykuya daldı aşkımız. Kaç mevsim böyle geçti. Kaç mevsim sensiz yaşandı. Bedenin yoktu; ama, ben yüreğimde hiç eksiltmedim seni. Bu yüzden seni yokluğunda bulanlardan oldum. Bir gün ve kim bilir hangi mevsim bu aşkın yeniden ve bu kez bir daha hiç uykuya dalmamak üzere uyanacağını biliyordum. Umutsuzluğa düştüğüm olmadı asla. Kaybedilmiş günleri yeniden kazanma kaygım da olmadı. Yaşanmalıydı ve yaşandı... Yüzümüzdeki çizgiler arttı. Belki biraz daha fazla hüzün taşıyoruz. Ama yanımdasın ve gerçek olan bu. Ne güzel bir gerçek...

Aşk öğretmece

Seni sevdiğim kadar çocuğum ben. Ne kadar çok seversem o kadar çocuk yaşıyorum. Oyunlar oynuyorum, seni ebeliyorum. Kıyamıyorum, "Haydi saklan yine ben ebeyim" diyorum. Seni yaşarken, yetişkinlerin hayata dair tüm kaygılarından kurtuluyorum. Dertsiz, tasasız, afacan bir çocuk. Türlü türlü muziplikler geliyor aklıma. Sabahtan akşama kadar yorgunluk nedir bilmeden koşturuyorum sokaklarda. Üstümü kirletiyorum, dizlerimi yaralıyorum; ama, hiç aldırmıyorum. Ne güzel şey bu...

Ben çocuğum da sen benden farklı mısın? Her oyunuma katılıyorsun eşim oluyorsun. Yüzündeki o parıltı hiç gitmiyor ve ben o parıltının esiri oluyorum. Bağlanıyorum. Sesi duyulmamış kuşların, ılık rüzgârların, bahar yapraklarının izi var yüzünde. Gülüşün maviye boyuyor ortalığı. Bu kış gününde soğuğa, kara, borana karşı sığındığım bir kulübe oluyor yüzün. Sanki tipi altında kalmışımda son bir gayret, uzaktan ışığı görünen eve atmışım kendimi. O ev sensin aşkım, beni sen istiyorsun.

Biz seninle susturduk acıyı. Yok ettik umutsuzluğu, sildik mutsuzluğu. Biz seninle yeni bir dünya kurduk, sevdayla bezenmiş. Aşkı rehber seçtik kendimize, yüreklerimizi teslim ettik. Ruhlarımızı birleştirdik tamamlasınlar diye birbirlerini. Tenlerimizi kaynaştırdık, eşsiz hazların ortağı olmak için. Biz seninle ölümsüzlüğe yürüdük. Yok olsa da bedenlerimiz, yaşayacak bu sevdamız. Bir öykü olacak, yazılacak, anlatılacak. Duyanın, okuyanın içi gidecek, onlar da böyle bir sevdanın peşine düşecek.

Aşkın yorulmaz, baş eğmez, yenilmez savaşçılarıyız biz. Sevdamızın karşısına ne çıkarsa, kim çıkarsa devirip yürümeye devam edeceğiz. Temelini sağlam attık bu aşkın. Ve biz sahip çıktıkça sevdamıza hiçbir güç de yıkamayacaktır onu. En zayıf anında bile gözünü kapatıp beni düşün. Aşkımızı düşün. Güçleneceksin, yenileneceksin. Unutma, çocuğuz biz, çocuklara ait o saflığı taşıyoruz içimizde. Kötülüklere, ihanetlere boyun eğmedikçe yitirmeyeceğiz saflığımızı. Bu sayede büyüyecek aşkımız, sonsuzluğa erişecek. Ne dersin "aşk öğretmece" oynayalım mı? Haydi al gel tüm tanıdıklarını. Ben de benimkilerini getireyim. Öğretelim bir aşkın nasıl yaşanacağını. Bu oyunda hep biz ebe olalım tamam mı?

Sen olmadan önce

Sen olmadan önce, yağmurun sesi böylesine hoş duygular bırakmazdı içimde. Yağmur kötü şeylerin habercisi olacakmış gibi gelirdi bana. Gece yatağımda, yağmurun sesini dinlerken her an kapı çalacakmış da karşımda ağlayan ve kötü haberi güçlükle konuşarak veren birini görecekmişim sanırdım. Şimdi her yağmur bana seni ilk öpüşümü hatırlatıyor. Nasıl da ıslanmıştık... Gözlerini gözlerime diktiğinde "Beni öp" diye bakıyordun. Öyle heyecanlıydım ki; bir türlü o ilk adımı atamıyordum. Sonra dudaklarımız buluştu, yağmur aşkımızın tanığı oldu. Yağmur artık endişe yaratmıyor bende. Ne zaman duysam yağmurun sesini mutlulukla kapıyorum gözlerimi ve kendimi senin öpüşlerine bırakıyorum.

Sen olmadan önce, özlemek korkuturdu beni. Özlem kavuşamama ihtimalini de getirirdi beraberinde ve ben bu ihtimali hiç sevmezdim. Bekleyişlere yüklenmiş aşkların çok acı verdiğini bildiğimdendi belki de. "Birlikte olmak varken, neden özlemlerce yaşansın aşk?" derdim. Sevgiliyi özlemek dayanılması zor bir duyguydu benim için. Yalnız olmak, paylaşacak onca şey varken hiçbirini paylaşamamak delirtirdi beni. İtiraf ediyorum, korkuyordum özlemekten. Şimdi yendim korkularımı. Özlenen sensin çünkü. Uzakta da olsan, biliyorum ki; yüreğindeyim. Biliyorum ki; gittiğin her yere götürüyorsun beni. Ve ben, seni, kavuşma anımızın hayaliyle bekliyorum. Sonra dokunuyorsun bana, sonra dünya oluyorsun, güneş oluyorsun, hayat oluyorsun. Seni özlemenin ödülünü veriyorsun...

Sen olmadan önce güvenmezdim kimseye. Güven duygusuna ihtiyacım olmadığını düşünürdüm. Kime güvendiysem karşılığı hep acı oldu çünkü. Terk edişlerin, ihanetlerin, yalanların ortasında yaşarken kendimi ve benliğimi koruma adına, onlar gibi olmama adına yitirdim güven duygusunu. Güvenmezsem, hayal kırıklığı da yaşamayacaktım. Üzemeyecekti kimse beni. Hiç kimse duygularımı hoyratça kullanamayacaktı. Ve yaptıkları hiçbir şey beni şaşırtmayacaktı. Şimdi birine güvenmeye, duygularımı teslim etmeye ne kadar ihtiyacım varmış anlıyorum. Kaygısızca bir sevdayı yaşamak, bir an ötesini bile düşünmeden sadece o anın içinde kaybolmak nasıl da güzelmiş... Ve sen sevgilim, varlığınla aşkı nasıl da güzelleştiriyorsun. Mavi umudum, deli sevdam, yüreğimdesin...

Kan gibisin...

Sensizim, geceyi izliyorum. Ay düşüyor gözlerime. Sigara üzerine sigara, duman duman özlem. Bir kadeh rakı, içime akan sen. Niye bitmiyorsun? Niye uzaklaştıramıyorum seni kendimden? Öylesine bendesin ki, ölmüyorsun. Ölsen, ben de öleceğim sanki. Çıkarsan içimden, bütün kanım da seninle birlikte akıp gidecek... Öylesin... Kan gibisin...

Bir İstanbul'u düşünüyorum bir de seni... Nasıl da yakışıyorsunuz birbirinize. Sen yaşamasan bu kentteki evlerin hiçbirinde hiçbir ışık yanmayacak sanki... İstanbul hiç olmadığı kadar öksüz, hiç olmadığı kadar sessiz kalacak. Yoksan, benimle birlikte bu kent de sensizliğe isyan edecek, sarayları, camileri, gökdelenleri birer birer yıkılacak. Başka bir şehir kurulacak, adı İstanbul olmayacak. Vazgeçmek mümkün değil senden... Can gibisin...

Yapraklar sararıyor, mevsim sonbahar. Hüzne karşı direnişimde tek dayanak noktam sensin. Adını anıyorum, serin sonbahar gecelerinin yerini, ilkyaza durmuş ılık Akdeniz akşamları alıyor. Denizin o baştan çıkarıcı kokusu doluyor genzime. İçime çekiyorum. İçkisiz sarhoşluk bu olsa gerek. Kendimden geçiyorum. Saçlarında denizin tuzu, öylece bakıyorsun bana. Gözlerinden yayılan ışık bütün bedenimi sarıyor... Ten gibisin...

Bütün gidişlerden arınmış, uçarı sevdaları bir kenara bırakmış ve kendini sadece aşka adamış bir adamım ben. Senin aşkına... Seni bugüne kadar fark edemediysem bu benim suçum, bağışla. Sensiz geçen zaman, zaten en büyük ceza oldu bana. Şimdi yeni bir başlangıç yapmak istiyorum. Her şeyi yeniden tanımak, yeniden tanımlamak, yeniden adlandırmak istiyorum. Seninle yaşamalıyım, seni yaşamalıyım. Yanımda değilsen, saatler durmalı, sonra sen gelmelisin, kaldığımız yerden yine aynı heyecanla devam etmeliyim yaşamaya... Zaman gibisin...

Ay çekiliyor yavaş yavaş... Gözlerim ağırlaşıyor, evimde sessizlik, beynimde düşünceler... Güzel hayaller, kabuslar birbirine karışıyor. Varlığını düşünmek gülümsetiyor, yokluğun rakımı zehre dönüştürüyor. Kendimle başbaşa kalmak iyi gelmiyor bana. Bir tek gece mi yoktun yanımda? Ya da kaç bin yıldır? Seni özlemek her zaman iyi değilmiş, anlıyorum. Ya sen özledin mi beni? Yarın koşacak mısın bana? Uyku çağırıyor beni, gece bitsin, sen başla. Kapıyorum gözlerimi, yeniden ve sadece sana açmak için... Gün gibisin...

Deniz kızı

En güzel zamanları senin için sakladım sevgilim. Birlikte yaşayalım diye. Her anına imzamızı aşkla atalım diye. Aşkımızı yaşarken soluksuz kalalım, birbirimizi bulduğumuz için her saniye yeniden şükredelim tanrıya diye...

Görüyor musun, nasıl da hoyratça harcıyor insanlar zamanlarını. Geçen hiçbir anın bir daha tekrarının olmayacağını bilmiyorlar mı bebeğim? Her anı aşkla doldurabilmek varken başka başka hesapların içinde olmakla ne kazanıyorlar acaba?

Sevgilinin elini tuttuğu an başka her şeyden vazgeçebilmeli insan. Aşk, ancak o zaman yüce bir duygu haline dönüşebilir. Biz benzemeyelim başkalarına aşkım, hani birileri örnek alınacaksa başkaları tarafından onlar biz olalım. Aşkımızı yazalım zamana. Okuyabilen okusun, okuyamayanı kendi haline bırakalım.

Beni en çok ihanetler yoruyor. Özü, sözü bir olan insanlara ne oldu cankuşum? Nereye gitti onlar biliyor musun? Neden ikiyüzlülerle yaşamak zorunda kalıyoruz? Zaten yeteri kadar zor hayat. Bir de bunlarla mı uğraşmak zorundayız?

Sen bana hayatın tüm kötülüklerine karşı dayanma gücü veriyorsun. Senin verdiğin güçle, yenemeyeceğim hiçbir zorluğun olmayacağını düşünüyorum. Yanımda olmadığın kısacık anlarda bile senin varlığını yüreğimde, taa derinde hissedebiliyorum. Öyle şanslıyım ki...

Yıllar önce bir film izlemiştim. Bir deniz kızına âşık oluyor bir erkek. Deniz kızı bu, karada çok kısa bir süre kalabiliyor. Üzerine su değdiği an yeniden deniz kızı oluyor. İnsanlar kısa sürede keşfediyor bunu. Ve bütün acımasızlıklarıyla deniz kızını kullanmaya çalışıyorlar. İşte o an deniz kızı artık yeniden denize dönmesi gerektiğini anlıyor. Denize çağırıyor sevdiği adamı. Adam her şeyi bırakıp denizde yaşamak zorunda kalacaktır. Önce bir an tereddüt ediyor. Ama aşk galip geliyor ve adam bırakıyor kendini denize... Deniz kızı ona denizde yaşamayı öğretir...

Kaç insan bırakabilir bu durumda her şeyi? "Nerede olursan ol, sana gelirim" diyebilir? Benim deniz kızım sensin aşkım. Ben senin denizin olmaya her zaman hazırım. Yeter ki yüreğin değsin yüreğime...

Sevmez misin?

Yaz direniyor sonbahara... Gece, yıldızların sözcüsü, bir tek seni anlatıyor. Yanıma bakıyorum yoksun, nefesim daralıyor, boğazımdan başlayıp tüm vücuduma yayılan bir ağırlık yerimden kıpırdayamaz hale getiriyor beni. Kapıyorum gözlerimi, yoksan, görmesinler hiçbir şeyi. "Ansızın çıkıp gelse" diyorum, "Bir dokunuşuna bir kenti feda edeceğimi bilse ve gelse..." Gelmez misin?

Uzaktasın; ama, değilsin aslında. Yüreğimden kalkan kelebeklerin saçlarına konduğu o an, bizi zaman ve uzaklığın asla ayrı koyamayacağını anlamıştık ikimiz de. İki beden, iki farklı yerde olsa bile ruhların buluşmasını ne engeller? Özgür bırak ruhunu. Gecenin karanlığını delen beyaz bulutlara binip gelsin ve buluşsun benimle. Bırak, ruhlarımız sevişsin bu gece de... İstemez misin?

Sen aslında 'ben'sin. Şimdi ne düşünüyorsam aynını düşünüyorsun biliyorum. Sabah uyandığımda yanımda olmayışının acısını daha geceden hissediyorum, uykularım kaçıyor. Uyku beni de seni de çoktan terk etti zaten ve sen de aynı acıyı, benimle aynı anda duyuyorsun. Gözlerinde hüznü, gözlerinde sevinci, gözlerinde en yaramaz çocuğu gördüğüm anlar geliyor aklıma. Sen de bak gözlerime. Orada yıllara meydan okuyan, solmamış ve asla solmayacak bir aşk var. Senin aşkın... Görmez misin?

Sesleri ayırt edemiyorum bu gece, ne garip... Aklımda sadece senin söylediğin şarkılar var, ondan belki de. Seni dinliyorum, "Kimseye etmem şikayet" diyorsun. Bir şarkı da ben söylemek istiyorum seninle. Sesimizin duyulmadığı yer kalmasın istiyorum. Avazımız çıktığı kadar, bağıra bağıra söyleyelim, şarkımız bütün aşklara marş olsun... Söylemez misin?

Yine bir sabaha karşı, sen uyumak isteyip de uyuyamadığın uykulara hasretken çalacağım kapını. Sarılarak karşılayacaksın beni, teninin kokusunu çekeceğim içime, başım dönecek. Tüm ışıklar sönecek, saatlerce el ele oturup tek kelime etmeden bakışacağız. Bakışmaktan yorulup konuşacağız. Şiirler okuyacağım sana. Yok edeceğim korkularını, yanıtlanmamış soru kalmayacak. Bunca yıl nasıl sevmişsem seni, öyle seveceğim bundan sonra da. Ya sen beni... Sevmez misin?

Teşekkürler Sevgilim

Beni deli bir sevdaya sürükledin. Uzun zamandır hasret kaldığım duygular denizinde yüzüyorum şimdi. Geçmişin karanlığından, adı batasıca acılardan, hiçlik duygusundan ve yalnızlığın hüznünden kurtardın. Dünyayı yeniden yaşanır kıldın, hayatıma yeni heyecanlar, yeni umutlar ekledin. Hayal etmenin ne kadar güzel bir şey olduğunu öğrettin. Teşekkürler sevgilim.

Dünyada herkesin bir eşi, bir ruh eşi var biliyorum. Kimisi hiç bulamadan göçüp gider hayattan. Kimisi şanslıdır, bulur ve mutlu yaşar. Ben de o şanslılardanım işte. Çünkü buldum seni. Çıkmasaydın karşıma, hayat boyu sürecek bir arayışın içinde olacaktım. Her karşıma çıkana "İşte bu o" diye sarılıp yanılacaktım. Mutsuzluk mutsuzluğu kovalayacak, umutsuzluk hayatımın her yanını saracak ve ben senin yokluğuna alışacaktım; ama, varsın, iyi ki varsın. Teşekkürler sevgilim.

Hayatımda ilk kez birine güvenmenin ne demek olduğunu anlıyorum. İlk kez hiçbir kaygı duymadan yaşıyorum aşkı. İhanetlerin, yalanların yer almadığı bir sevda bizimkisi. Oysa karşımdakilere her an bir şey yapacakmış gibi bakardım daha önce. Yaptılar da... Hoyratça harcadılar duygularımı. Güzele dair ne varsa yok ettiler. Çaresiz, güvenmeden yaşamayı öğrendim. Yüreğimi korumak için öğrenmek zorundaydım. Her sevdanın derin bir yara açtığı yüreğimin bir başka darbeye daha dayanacak gücü kalmamıştı çünkü. Ve sen, sildin bütün bu kötü anıları. Sevdan, insan sevgisini yeniden aşıladı içime. Teşekkürler sevgilim.

Aşkımızı güzelleştirmek için çabalıyorsun, bu bana onur veriyor. Bir aşk için çaba göstermeli. Bunun en iyi kanıtısın sen. Beyninle, yüreğinle seviyorsun beni. Benliğini adadın aşkımıza. Bil ki ben de öyleyim. Biliyor musun, sensiz geçen anları da seviyorum. Çünkü sana kavuşma anım daha da yaklaşıyor. Her geçen dakika, benim heyecanımı daha da artırıyor. Sadece bu heyecan için bile binlerce kez teşekkür etmeliyim sana. Teşekkürler sevgilim.

Zamanı birlikte ve en iyi şekilde tüketiyoruz. Bu kez zaman bizim lehimize işliyor. Her anımız unutulmayacak tatlar bırakıyor. Birlikteyken huzurun, sonsuz mutluluğun ne demek olduğunu anlıyoruz. Öyleyse şükredelim mi Tanrı'ya sevgilim? Ve asıl bizi buluşturduğu için ona teşekkür edelim mi? Sarılalım mı birbirimize hiç ayrılmamak üzere? Ve dua edelim mi herkese ruh eşlerini bulsunlar diye? Haydi öyleyse...

Konuşan sessizlik

"Yazsana haydi..." dedi kadın, "Başkalarının aşklarını uzaktan gözleyip yazmak kolay, yürekliysen kendi yenilgilerini, zaaflarını, garipliklerini, hatalarını, yalanlarını, ihanetlerini, bir kalemde silip attığın seni sevmekten başka hiçbir günahları olmayan o insanları yazsana..."

Şaşırdı adam, böyle bir meydan okumayla karşılaşmamıştı bugüne kadar. Şimdiye kadar kim girdiyse hayatına sadece kendi çizdiği sınırlar içerisinde kalmasını sağlamıştı. Ancak onun izin verdiği noktaya kadar erişebilirlerdi. Daha ötesine değil geçmek, bunu istemeye bile cesaret edemezlerdi. Ne oluyordu peki? Bu kadın ne sanıyordu kendini de adamın sürülmemiş topraklarına, yürünmemiş yollarına, keşfedilmemiş kıtalarına doğru adım atabiliyordu? Daha da önemlisi adam onu neden kendinden uzak tutamıyordu?

Adam kadının yüzüne bakıyor, aklından sürüyle cümle geçiriyor, hiçbirini toparlayıp söyleyemiyordu. Kilitlenmişti adeta. Bulunduğu mekan öylesine küçülmüştü ki, duvarların arasında ezildiğini hissediyor, oradan kaçmak, kendini bilinmez sokaklara atmak, saatlerce, belki de günlerce yürümek istiyordu. Bir şey tutuyordu onu. Sanki oradan kalktığı an, geleceğini, umutlarını, mutluluğunu ve yüreğinde taşımaktan hiç bıkmadığı aşkını da bırakacaktı orada. Yine de bir yanı "Kalk, ne duruyorsun? Haddini bilmeli bu kadın, kalk ve yürü" diyordu.

Oysa kolayı seçmek olacaktı bu. Kalkıp gittiği zaman kendini o ankinden çok daha iyi hissedecek; ama, belki yıllarca sor sor bitmez sorularla baş başa kalacaktı. En kötü yanıtın bile cevaplanmamış bir sorudan çok daha iyi olduğunu öğrenmişti artık. Üstelik ne oyun yapacak yaştaydı ne de aşkı küçük dargınlıkların sırtına yükleyip "Seviyorsa arar" basitliğine sığınacak yapıdaydı.

Kalkmadı, sevmekten hiç vazgeçmediği o kadının gözlerine bakmayı sürdürüp şunu söyleyebildi sadece...

"Say ki yazdım geçmişimi, bu andan sonra içinde senin geçmediğin tek bir satır bile yazılabilir mi sanıyorsun? Bir başkasını anlatmak için başlanmış cümleler seninle bitecek, öyle olacak. Bu yüzden yazdıklarım ne tam olarak seni ne de onları yansıtacak. Seninle bu kadar doluyken, içimde aşka dair ne varsa sana yönelmişken senden olmayan bir şey yazarsam eğer asıl ve en büyük ihaneti kendime yapmış olmayacak mıyım?"

Bir suskunluk gelip ikisinin arasına girdi, kadın adamın yüzüne dikkatlice baktı "Seni seviyorum" dedi, bir tek kelime duyulmadı. Adamın yüreğinden kalkan kelebekler kadının saçlarına kondu, o da konuşmadı. Çünkü aşkları var olan bütün kelimeleri çoktan aşmıştı...

Ama ne güzel geldin...

Geceydi seni bana taşıyan... Sen geceye yakındın, ben de sana... Ağır aksak işleyen zamanın düşürdüğü tuzaklardan kurtulup geldin, hoşgeldin. Korkularınla, çocukluğunla, sırlarınla ve sadece gözlerine derin bakanların görebileceği acılarınla geldin, iyi ki geldin...

Bekleyişlerimin içine hapsettiğim özlemlerim vardı. Nicedir kimseyle paylaşmadığım hüzünlerim. Soramadığım sorularım... Hatırladığımda yüreğimde yaratacağı o korkunç sızıyı duymaktan korktuğum için beynimin bir köşesine fırlatıp attığım ve bir daha hiç dokunmadığım anılarım vardı... Şimdi özgür bıraktım özlemi. Şimdi, hüzün de sevinç de doyasıya yaşanıyor bende. Sorular cevabını buluyor, anılar canlanıyor, çünkü sen geldin.

Susmak ne çok akıllandırmış beni... Ne çok biriktirmişim kelimelerimi... Bir bir dökülürken dilimden sevda sözcükleri, senin o tedirgin duruşun bile durduramıyor beni. "Seni soluyan bir rüzgâra kapılmış gidiyorum", yüreğimi bir yelken gibi açtım, seninle dolduruyorum. Seninle olmanın, seni yaşamanın ve zamanı sadece seninle paylaşmanın eşsiz hazzını duyumsuyorum, ne iyi ettin de geldin.

Bir büyüysen, bozulma. Bir hayali yaşıyorsak, kaybolma. Hep biz çözecek değiliz ya gerçeğin düğümlerini, bırak kendi halinde kalsın. Ruhuna talibim ben, asıl gerçek bu. "O" sensin biliyorum. Kaçışlardan bıkmış, hep yarım kalmış ruhum da bir tek seninle doyuma ulaşacak, kendini bulacak. Dedim ya, sen geldin.

Bir de mavi var öyle ya... Nereye saklamıştım maviyi? Kimlerden gizlemiştim de yok sansınlar istemiştim? Bak, güneş bile mavi mavi parlıyor görüyor musun? Yavaş yavaş yok oluyor yüreğimin gri katmanları. Maviyle anılıyor görebildiğim her şey. En çok maviye tutkunum ben, bu yüzden mavi sen oluyorsun, çocuk gibi seviniyorum. Sen maviyle geldin.

Sahi, çocuk olmayı ne kadar özlemişim ben... Senin içindeki çocukla oynayacak bendeki çocuk. Yalansız ve saf olacak. Kumdan kaleler yapacak, içine seni koyacak. Kaleyi yıkacak, seni kurtaracak, kahraman olacak. Çığlıklar atacak, yorulmayacak, sensiz hiçbir oyunda 'ebe' olmayacak. Korkma, içindeki o çocuk hep yaşayacak, kimsenin zarar vermesine izin vermeyeceğim. Çünkü sen o çocukla varsın, o çocukla geldin.

Yoktum ben, senden önce yoktum sanki. Sen geldin varlığını bildim. Sen geldin bir dokunuşun, bir öpüşün nasıl da büyük bir hazza dönüştüğünü gördüm. Sen geldin ben oldum, aşk oldum. Sen geldin... Ama ne güzel geldin...

Ölür müsün benimle?

Yüzünü özledim... Daha birkaç saat önce birlikteydik halbuki. Yanımda olsan ne fark ediyor ki? Hiç tükenmiyor özlemin. Aslında bu duygumu anlatmaya özlem kelimesi yetersiz kalıyor. Ve ben asıl buna şaşırıyorum. Seninleyken bile özlüyorsam seni, sensizken hissettiğim ne o zaman? Başka bir adı olmalı. Adı ne olursa olsun, sevmiyorum sensizliği. Deli bir aşk benimkisi. Sonu gelmeyecek bir macera. Aşk gibi, hayat da bir macera tadında yaşanmalı. Ne olursa olsun yaşanmalı. Bütün kahpeliğine, ikiyüzlülüğüne rağmen... İnsan, hiç kimseye bağımlı olmadan, kendi ayaklarının üzerinde durarak yaşamalı hayatı. Keyifle, mutlulukla, her saniyeden zevk alarak... Bilinmezlerin peşinde koşarak, keşfederek ve her keşiften kaşifin aldığı o doyumsuz hazzı alarak yaşamalı. Dinleyerek, konuşarak, sorarak, sorgulayarak, öğrenerek ve öğreterek yaşamalı. İnsan hayatı bir heykeltıraş titizliğiyle, bir şair duyarlılığıyla, bir ressam bakışıyla yaşamalı.

Sen benim hem aşk hem de hayat maceramın birinci kahramanısın. Yapacak ne çok şeyimiz var diye düşünüyorum. Ne kadarına yetecek ömrümüz bilmiyorum; ama, hayata ve aşka dair ne varsa hepsini yaşamak istiyorum seninle. Kendi tuttuğum balıkları pişirip ellerimle yedirmek istiyorum sana. Toprağın, sarı sıcak kumların, yemyeşil çimlerin üzerinde el ele; ama, yalın ayak yürümek...

Akdeniz'in kıyısında hiçbir şey yapmadan saatlerce güneşin altında yatmak sonra güneşin tenimizde yarattığı acıyı serin sularda birlikte dindirmek... Yazı severim bilirsin; ama, kışın hatırını da bırakmam elbette. Karların içinde, ellerimiz, ayaklarımız morarana kadar yuvarlanmak ve sonra çıtır çıtır odun ateşinin karşısında gözlerimizi birbirimizden bir saniye bile ayırmadan yine saatlerce oturmak...

Sabaha karşı İstanbul'un bir tepesinden eşsiz Boğaz'a bakarken serin rüzgârın hafifçe titrettiği vücutlarımızı birbirimize sarılarak ısıtmak... Ve sevişmek sevgilim... Bir tende eriyene kadar, hiç bitmeyecek bir ayinmiş gibi sevişmek...

Zaman bizim elimizde, ne kadarını kullanırsak o kadar uzun olacak ömrümüz. Ve giderken bu dünyadan ardımızda yaşamadığımız şeyleri değil, her anı birlikteliğimizle, aşkımızla dolu bir hayatı bırakacağız. Ne dersin? Önce yaşayıp sonra ölür müsün benimle?

Yaşayacağız...

Konuşacak ne çok şeyimiz var, paylaşacak ne çok şeyimiz... Tanrım ömrümüz yetecek mi hepsini yapmaya? Sana ne söylesem, yüreğimin sesiyle konuşuyorum inan. Hangi sözcük dökülüyorsa dudaklarımdan, bil ki yüreğimin söyledikleri onlar... Yanlış anlaşılabileceğime dair en ufak bir kaygım yok. Zaten aşk, kaygılardan arınmış olmayı gerektirmez mi? Kaygın varsa eğer aşkı nasıl yaşayabilirsin ki?

Sen olduğundan beri hayata ve insanlara dair bütün kırgınlıklarımı kaldırıp attım bir tarafa. Uzadı cümlelerim farkında mısın? "Evet" ya da "Hayır"dan oluşan tek kelimelik cümleleri kullanmıyorum artık. Çocuk gibiyim, çocuk... Başkalarına saçma gelebilecek her şey mutlu ediyor beni. Sanki her şeyi ilk kez görüyorum. Dün gece perdeyi çekip camdan bembeyaz karın yağışını izledim. Bunu yapmayalı ne kadar uzun zaman olmuş... Bir mucize bu, biliyor musun? Bilimsel açıklaması ne olursa olsun umurumda değil. Bir mucize bu...

Meğer ne çok şarkı bilirmişim ben, ne çok şarkı 'en çok sevdiğim şarkı'ymış... Nereye gitti hüzün şarkıları? Yoksa ben mi duymuyorum? Her şarkı içimi okşuyor, her şarkı aşkı anlatıyor. Eşlik ediyorum, bağıra bağıra söylüyorum, coştukça coşuyorum.

Senin yanında nasılsam sen yokken de öyleyim. Varmışsın gibi yani... İmkansız hiçbir şey yok bize. Aşk sevmez imkansızlığı bilirsin. Yanımda olmayışın seni yaşamama engel değil. Sana sarıldığımı, kokunu içime çektiğimi, tenini ateşini düşünüyorum, ne güzel...

Bir iddiam var bu aşkta. Her şeyin olmak istiyorum. Sevincin, isyanın, kızgınlığın, hüznün, aldırmazlığın, çocukluğun, yalnızlığın, yorgunluğun, enerjin, gözyaşın, gülüşün, korkuların, cesaretin, alınganlığın... Ben sana ait olmayan ne varsa çıkardım hayatımdan. Senin olanı yaşamak istiyorum. Sana dair hiçbir korkum yok, yüreğim senden gelecek her şeye sonuna kadar açık. Bir tek kaçışlara, gidişlere kapadım yüreğimi.

Bak yine bastırdı kar, mucize yağıyor gökyüzünden. Nasıl da beyaza boyanıyor ortalık. İlk defa sever oldum kış mevsimini. Zaten mevsimlik bir aşk değil bizimkisi. Yaşayacak öyle çok yaz öyle çok bahar var ki... Dedim ya, ömrümüz yetecek mi bunları yaşamaya?

Bir sevdadır gülüşün

Gülüşün... Hiç kimsede olmadığı kadar içten, hiç kimsede olmadığı kadar yumuşak. Gülüşün, gözlerine yansıyan ışık. Sen gülüyorsun, ben bir diyardan diğerine sürüklenen serüvenci oluyorum. Gülüşün çocuk, haylaz, yaramaz, umursamaz... Ve bir o kadar da uslu, söz dinleyen, huzur veren...

Gülüşün, damarlarıma işliyor, bağımlılık yaratıyor. Bir tutku, vazgeçmesi mümkün olmayan. Bir hayat senfonisi, her notasında aşkı saklayan. Sevmeyi bilen gülüşün, sevdikçe sevdiren gülüşün...

Özlemin en koyusu senin gülüşüne konaklamış. O gülüşü görmeden yaşamak öyle zor ki... Sınırsız okyanusların, en mavi denizlerin beyaz yelkenlisi... Umudun ta kendisi... Menzili olmayan bir uçuş, sonsuzlukta kayboluş...

Güven veren gülüşün, cesaret veren... Hayatın bütün kaypaklığına, ikiyüzlülüğüne ve acımasızlığına direnme gücü veren. Yaşama sevincini her gördüğümde yeniden yüreğime yerleştiren gülüşün...

Sen güldükçe gülüyor çevremde kim varsa, ne varsa. Sen güldükçe ışıl ışıl yanıyor yıldızlar, her birine senin adını verdiğim yıldızlar. Şimdi sadece senin gülüşünle anıyorum onları. Gülüşün, ayazı ısıtan bahar, sarı sıcağı serinleten rüzgâr. Alabileceğim en değerli armağan; gülüşün, içinde her sevinci barındıran bir hazine. En beklenmeyen sürpriz, hep beklenen mutluluk.

Gülüşün, kötüye karşı en soylu başkaldırış. İyinin en kadim dostu. Mücadele eden, yenilmeyen ve aşkın zaferini ilan eden...

Sevdiklerine alçakgönüllü, zarar vereceklere kalkan. Soran, sorgulayan; ama, asla yargılamayan gülüşün...

Bedenimi saran ateş, içimdeki ürperiş, ellerimdeki titreyiş gülüşün. Tükenmeyecek heyecan, sonu gelmeyecek öykü, anlatılmaz bir duygu seli...

Seni anlatan en iyi tarif gülüşün, içinde ne varsa dışına yansıtan. Saklamayı bilen; ama, gizemden hoşlanmayan. Baktıkça, "İyi ki yaşıyorum" dedirten... Varoluşuma anlam katan gülüşün...

Baktıkça tanrıya şükrettiren ve "Hayatımdan hiç çıkmasın" diye dua ettiren gülüşün. Damla damla yağan yağmur, yanımdan hiç ayırmayacağım uğur... Gecenin dinginliği, gündüzün hareketi. Renklerin en güzeli, çiçeklerin en tazesi...

Ve bu sevdanın sebebi... Gülüşün...

Haydi bul yüreğini

Duymuyor musun sesini? Şşşşt... Sessiz ol biraz. Kulak ver. Hâlâ yok mu? O zaman önce yerini bulmalısın. Hayır, ben yardım edemem, sen bulmalısın; ama, tarif edebilirim. Önce tüm düşüncelerinden sıyrıl. Kendini sadece bu işe odakla. Kapat gözlerini. Bu arayışta gözlerin yardımcı olamaz sana. Elini göğsünün üzerine koy. Biraz bekle, sakince nefes al, heyecanlanma. Şimdi elini yavaşça sol tarafına doğru götür. Hayır, aşağı doğru değil, daha yukarıda. Sol koluna doğru. Evet, iyi gidiyorsun, parmaklarının altında hisset. Bir değişiklik var mı? Elinin altında bir şeyin attığını hissetmiyor musun? Yanlış yerde olmalısın o zaman. Çok mu yukarılara çıktın yoksa? Biraz aşağı indir elini. Avucunu tam olarak aç. İyice yasla göğsüne. Ya şimdi? Çok hafif bir şey hissettin demek. Bu güzel, doğru yolda ilerliyoruz o zaman.

Kapalı değil mi hâlâ gözlerin? Şimdi parmakların koltuk altına doğru ilerlesin. Evet, avucunun altında duruyor olmalı. Orada değil mi? Atışını hissediyorsun şimdi. "Neden şimdiye kadar bulamadım" diye hayıflanma, geçmiş geçmişte kaldı. Sen bundan sonrasına bak artık.

Buldun ya yüreğini, bundan böyle hayattaki en iyi rehberin o olacak. Sesini dinlersen ve kaybetmezsen onu, sana hep doğru yolu gösterecek. Evet, bazen yanılıyor, bazen gittiği yolda tökezliyor; ama, olsun. Sen yine de dinle yüreğinin sesini. Bugüne kadar başka şeyleri dinledin de ne oldu? Hangisi mutlu etti seni? Mutlu etseydi arıyor olur muydun bugün yüreğini?

Hayat, yürekte başlıyor ve diğer bütün duygular yürekte can buluyor. Yüreğinle konuşursan eğer, yüreğinle görmeyi, yüreğinle duymayı öğrenirsen senden daha mutlusu olmayacak dünyada. Bir insanı sevmenin, aşkla bağlanmanın hazzını yaşayacaksın. Bundan daha müthiş ne olabilir ki?

İyi bak yüreğine, oraya sadece senin izin verdiklerin girsin. Hoyrattır bazıları, kendi yürekleriyle yapamadıklarını senin yüreğinle yapmaya kalkarlar. Kullanırlar. Bu yüzden iyi korumalısın. Darbelere karşı güçlendirmelisin onu. Unutma, narindir yürek, çabuk kırılır. Başkalarının yüreklerinin de çabuk kırılacağını bilmelisin, kırmamalısın. Ve bir gün, o yüreğin gerçek sahibini bulduğunda ona tertemiz, saf, duru ve sevgi dolu bir yürek sunmalısın...

Aşk yoldaşım

Mavilere uzaklardan bakan olmadık biz. Mavinin içindeydik, mavi bizim içimizdeydi. Aşk bir sarmaşık gibi sarmıştı her yanımızı. Yürekliydik, cesurduk, aşk için ölünecekse onu da yapardık kuşkusuz; ama, aşkımızın kanıta ihtiyacı yoktu. Bizi yolumuzdan çevirecek herhangi bir güç de yoktu. Yürüdük ve yorulmadık. Aşkımızı her şeyden üstün kılmayı bildik. Ne hayallerimizi bıraktık, ne gerçekten uzaklaştık. Bazen yere sapasağlam basarak, bazen bulutların üzerine çıkarak yaşadık aşkı. Kimseye aldırmadık, tek söz söyletmedik. Madem bu sevda bizimdi, madem aşk her şeyimizdi öyleyse korumak en önemli görevimizdi. Koruduk ve bıkmadık.

Korkakların ve ikiyüzlülerin dünyasında bir sevdayı ayakta tutmak kolay değildi elbette. Yüreklerimiz kocamandı. İçine kocaman dünyaları alırdı. En zor anlarımızda yüreklerimize sığındık. Birbirimizin içine aktık. El eleydik her zaman. Yan yanaydık, can canaydık. Sıcaktık ve soğumadık.

Birbirimizi olduğumuz gibi kabul edebilmiştik. Farklılıkların insanı zenginleştirdiğini biliyorduk. Başkasına çok aptalca gelebilecek şeyleri yaparken çok eğleniyorduk. Kimin ne dediğini, bize gülüp gülmediklerini umursamıyorduk. Birbirimizi bulduğumuz için tanrıya şükrediyorduk. Birbirimiz için yaşamalıydık. Sevdikçe hayata daha da bağlandık. Sarıldık ve bırakmadık.

Geçmeyecek bir aşk bu. Zaman geçecek, bu aşk büyüyecek. Asırlık bir çınar gibi sağlam kökler salacak toprağa. Fırtınalar kopacak, yağmurlar ıslatacak, karlar kapayacak; ama, yıkılmayacak. Biz yaşadıkça aşkımız da yaşayacak. Ey benim mavi sevdam, umudum, aşk yoldaşım... Sana söz bu yürek her atışında senin adını anacak...

Yakın dur bana

Sevda yorgunuydun, bıktırmıştı yalanlar seni. Kimin yüzüne baksan aynı ikiyüzlülüğü görüyordun, bu seni yıldırıyordu. Bir hayal kırıklığı daha aşkla olan bütün bağlarını koparacaktı, bu yüzden korkuyordun bana yakın olmaya. Kimse seni üzmemeliydi artık, kimse yüreğinin tellerini incitip gitmemeliydi.

Sözler vermedim sana, ben de herkes gibi biriydim. Gün olur, hataya düşer hiç beklemediğin bir anda çıkıp gidebilirdim hayatından. Uzak durdum, duygularıma gem vurdum. Yarım kalan aşkların yüzünde bıraktığı o acı izlere bir tane daha eklenmemesi için. Bunun sorumlusu olmamak için uzak durdum.

Hoyratça harcamasam da hayatları, yarım bırakmasam da sevdaları, insandım sonuçta, yenilebilirdim zaaflarıma. "Bilsen nasıl yanıyor içim. Bırakıp gidenler değil bu alevi körükleyen, kendi yenilmişliğime yanıyorum. Sadece birisi sevsin beni, ben de onu seveyim. Çıkarsız ve yalın. Bir sevdamız olsun, başka da hiçbir şeyimiz olmasın. Beni yarı yolda bırakmayacağını bileyim, hayatımı adamaya hazırım" diyordun. Sözlerin beynime çivi gibi çakılıyordu. Neden güvenemiyordum kendime? Âşıktım sana. E öyleyse? En zorlu aşkların üstesinden gelebilmiş, imkansızlıkları ortadan kaldımış, aşk için her şeyi göze almış olan ben, şimdi neden böyle tedirgindim? Niye sorguluyordum kendimi? Kaygılarımdan kurtulmanın zamanı geldi artık. Bıraktım cevapsız soruları, seni ve kendimi düşünüyorum yalnızca. Yaşayacağımız aşkı düşünüyorum. Uzak durmayacağım artık, gel yanıma. Çıkalım bu sevdanın yoluna ve yürüyelim el ele. Korkmak yersiz, aşk korkakların işi değil. İki yüreğiz biz, iki kocaman yürek. Yeminler etmemize gerek yok, biliyorum kimse kimseyi yarı yolda bırakmayacak. Bir aşk yaşanacaksa en tutkulu halde yaşanacak.

Yüzündeki acı izleri silmek için yanındayım. Seni sevmek, karşılıksız, çıkarsız, hesapsız sevmek için yanındayım. Haydi durma orada, yakın dur bana. Soluğunu hissedeyim, kokun yayılsın içime. Şimdi aşkın zamanı, bırakalım kuyruğu sıkılası acıları. Aşk denizindeki en büyük geminin kaptanı olmaya adayım. Bana teslim edeceği o gemiyi asla batırmayacağıma söz veriyorum...

Söz biter aşk kalır

Gözleri parlayarak bakıyordu, biraz şaşkın, biraz ürkek, biraz da endişeliydi. Ağzımdan çıkacak tek söz, onun hayatını tamamen değiştirecekti, farkındaydım. Bu yüzden susuyordum. Aklımdan binlerce kelime geçiyor; ama, birinin bile dilimden dökülmesine izin vermiyordum.

Onu tanıdığımda, uzun soluklu bir aşkın acı sonuyla yıkılan insanların yaşadığı garip dönemdeydi. Çevresindeki hiç kimseye güvenemiyor, bir başkasının kendisini üzeceğinden korktuğu için söylenen her sözü, yapılan her hareketi dikkatle süzüyor, hepsine kendince bir anlam yüklemeye çalışıyordu. Bana söylediğine göre artık üzülmek istemiyordu. Tedirginliği de, bu kadar kapalı olmasının nedeni de buydu. Bense, aşkın kıyılarında geziniyor, ancak onun kendi içinde yaşadığı fırtınalardan dolayı o denizin içine giremiyordum bir türlü.

Hiç kolay değildi biliyordum; ama, vazgeçmeye de niyetim yoktu. Birlikte paylaşacağımız çok şeyin olduğunu düşünüyordum. Kolay kolay hissettiğim bir şey değildi bu. Madem hissediyordum, o halde hislerimin gösterdiği yolda yürümeliydim.

Birbirimizi tanıma sürecindeydik; ama, o kapandıkça ben de çekiyordum kendimi. Ortada yüzlerce cevapsız soru dolaşıyor; ama, ikimiz de bu sorulara bir yanıt bulma hevesini taşımıyorduk. Böyle devam ederse aşk başlamadan bitecek gibi görünüyordu.

Sonra bir gece, birbiri ardına yanıtlanmaya başladı sorular. Artık kaçamayacağımızı anlamıştık. Ya bu aşkı adamakıllı yaşayacaktık, ya da kendi hücrelerimize çekilip birbirimizi aşksızlığa mahkum edecektik. Bana "Peki sen de istiyor musun?" diye sormuştu. Ve şimdi, işte o ürkek haliyle sorunun yanıtını bekliyordu...

Kelimelerle savaşım bitti sonunda. Işıl ışıl bakan gözleri daha fazla merakta bırakamazdım. "Evet" dedim... Başını öne eğdi... Utangaç bir ses tonuyla, "Sen de gidenlerden olmayacaksın değil mi?" diye sordu... Henüz yaşanmamış bir ilişki için en büyük endişesini daha baştan belirtmişti bana. Böyle bir söz vermenin mümkün olmayacağını bildiğim halde "Olmayacağım" dedim... Gülümsedi, başını kaldırdı "Beni bırakmadığın sürece senden ayrılmam" dedi. Ben de gülümsedim ve elini tuttum. Bu sözlere hiç gerek yoktu biliyordum. Aşkı yaşamalıydık, hiçbir söze bağlı kalmadan... Yaşıyoruz da...

Bekliyorum...

Seni özlemeyi en çok ben bilirim.
Hiç yakınmadım seni özlemekten.
Üstelik sana kavuşamama ihtimali, işlenmemiş
soğuk bir taş gibi önümde dikilip dururken.
Sana dokunamamak yüreğimi
böylesine acıtırken...
Yine de bil ey yâr...
Bil ki, ben yüreğimi kanırtan bu acıya inat,
dokunmadan tenine saatlerce sevişebilirim
seninle...

Seni özledim

Sensiz kalmayı kaldıramıyor yüreğim. Kısa ayrılıklar bile kederimi artırıyor, hüzün dolu geceler yaşatıyor bana. Seninle birlikte olmanın tadını almışım bir kere, bundan vazgeçemiyorum. Alışkanlık değil bu. Her alışkanlık terk edilebilir bir gün. Oysa sen benim yaşam kaynağımsın. İnsan hayatından vazgeçebilir mi?

Özlüyorum seni, özlemin büyüdükçe büyüyor içimde, durduramıyorum. Kavuşacağımız anı bekleyerek geçiyor zamanım. Hiçbir şey zevk vermiyor bana sen yokken. Sıçrayarak uyanıyorum geceleri, yanıma bakıyorum, yoksun. Tekrar gözlerimi kapıyorum, dönüp duruyorum sabaha kadar. Sensizken her güne yorgun uyanıyorum. Tadım yok işte anla.

Oysa yanımdayken sen, günün tüm yorgunluğunu unutuyorum. Sohbetimizin keyfi, dokunmalarının sihri, yaşanan tüm olumsuzlukları silip götürüyor. Huzurla dalıyorum uykuya. Seninleyken, sadece birkaç saatlik bir uyku bile, ertesi günü ayakta ve sapasağlam geçirmeme yetiyor. Sevgilim olduğunu, varolduğunu bilmek yetiyor bana.

Döneceksin biliyorum da, dayanamıyorum ne yapayım. Zamanı seninle, sadece seninle geçirmek varken, aşkımızı büyütmek, tutkuyla yaşamak varken, beklemek çok zor geliyor inan. "Şimdi olsa" diyorum, "Çıksam işten, gitsem yanına, yemek yesek birlikte, bir-iki kadeh şarap içsek, o gülse, ben baksam, heyecanlı heyecanlı anlatsa yaşadıklarını... Sonra güzelliğinden bahsetsem, şımartsam onu, Boğaz'ın kıyısında yürüsek birlikte, yağmur üzerimize yağsa, üşüsek, sarılsak birbirimize, ısınsak tenimizin ateşiyle..." Ama yoksun işte. Bu gece de sensiz geçecek ve ben ne şarap içeceğim, ne yediğim yemekten zevk alacağım.

Bu gece sevgilim, bir fırsatını bul ve üzerinde şehir ışıklarının dans ettiği denize bak. Kokusunu içine çek. Beni hissedeceksin. Çünkü ben ne zaman sensiz kalsam, denize bırakıyorum yüreğimi, sana ulaşması için. Çünkü seninleyken atıyor yüreğim. Haydi sevgilim gel, al yüreğimi öyle gel...

Geleceğim bir gece

Bir gece geleceğim sana, hiç umrıadığın bir anda, "Artık gelmez" diye düşünürken, umudunu kesmişken... Sen beklemiyorken beni, ben elimde kır çiçekleriyle gireceğim kapından. Sessizce süzüleceğim içeri, sen uyuyorken, karanlıkken, pencereden içeri sadece ay ışığı süzülüyorken. Başucuna bırakacağım çiçekleri, gözün yarı aralanacak, düş mü gerçek mi anlayamayacaksın. Çiçeklerin kokusu içine dolacak, gözlerin kapalıyken yüzüne bir gülümseme yayılacak.

Bir gece geleceğim sana, yatağının kenarına oturup öylece bakacağım. Tüm bedenini kazıyacağım beynime. Kokunu alacağım, heyecanlanacağım. Vücudunun çıplak yerlerine dokunma isteğiyle yanıp tutuşacağım. Gizli bir şey yaparmış gibi heyecanlanacağım. Dudaklarına yaklaştıracağım dudaklarımı. Tam öpecekken geri çekeceğim. Sonra dayanamayacağım, dokunacağım. Tutkuyla, aşkla dokunacağım. Teninin sıcaklığı parmaklarımdan tüm vücuduma yayılacak, terletecek beni. Yanına uzanıp sarılmak isteyeceğim, bedenini bedenime yaslamak isteyeceğim; ama, yapmayacağım. O anın büyüsünü bozmamak için duracağım, saatler sürecek belki; ama, dayanacağım.

Bir gece geleceğim sana, her neredeysen oraya. Kim varsa yanında umurumda değil, ben gelince kovacağım. Asırlardır içimde biriken aşk dolu sözcükleri fısıldamak için kulağına, sana olan hasretimi dindirmek için geleceğim. Sonra uyanacaksın uykudan ve şaşıracaksın. Ben miyim karşındaki yoksa hayal mi? Beynin oyunlar mı oynamaya başladı sana? "Sen misin?" diye fısıldayacaksın, ay ışığındaki siluetime dokunmaya çalışacaksın. Elimi uzatacağım ellerine, o zaman ben olduğumu anlayacaksın.

Yalnız geçen gecelere son vermek için geleceğim sana, bir gece dolunayda, yanı başına. O karanlıkta bir ay parlayacak, bir senin gözlerin. Ay, gözlerinde doğacak. Sarılacaksın bana, içine sığdırmak istercesine, sıkı sıkı. Yüreklerimizi buluşturacağız, ruhlarımızı seviştireceğiz önce. Kıpırdamadan duracağız. Ne zaman ki inanacaksın artık yanında olduğuma, bırakacaksın bedenini bana. Ve nihayet tek beden olacağız, bir olacağız, o anın esiri olacağız ikimiz de.

Bir gece geleceğim ve reddedemeyeceğin bir teklif sunacağım sana. Bunu duyunca inanamayacaksın. Cevabın hazır; ama, şaşkınlıktan sözcükler çıkmayacak ağzından. Bir gece, sana dünyayı, sana hayatı, sana aşkı sunmak için geleceğim. Ve o geceden sonra hep benim olacaksın...

Korkularım...

Sevme eylemini seninle özdeşleştiriyorum. Hatalı mıyım bunda? Ya bir gün yok olursan? Ya bilinmedik diyarlara gidip beni bu kentte bir başıma bırakırsan? Her geçen gün içimdeki sen büyüyor, biliyorum bir gün sığmayacak, taşacaksın. Ben bunun coşkusunu yaşayacağım, evet; ama, ya sen bu kadar sevmeyi kaldıramazsan?

Biliyor musun, seni sen kadar sevmek de yetmiyor bana. Senin kendini sevmeni bile kıskanıp "Ben, kendini sevdiğinden daha çok sevmeliyim onu" diye düşünüyorum. Bu tehlikeli bir şey... Sevmek böylesine tehlikeli olmamalı. Söz geçse yüreğime, durduracağım kendimi; ama, bu aralar kalbim benden bağımsız hareket ediyor. Yüreğimi özgür bırakmak işime de geliyor aslında. Böylece seni daha çok, daha çok, her şeyden çok sevebileceğimi anlayabiliyorum.

Küçük sevgiler sana göre de değil. Sen de sana büyük sevgilerin sunulmasını istiyorsun. Ama diyorum ya, ben sevgimi büyüttükçe, seni kaybetme korkum da bir o kadar artıyor. Aşk, korkularla birlikte yaşamaz, fakat bu başka bir şey. Yokluğunu düşündüğüm zaman içime oturan acıyı tarif etmem mümkün değil. Seni benden bir parça olarak görüyorum ya, insan, bedeninden nasıl bir parça koptuğunda acı duyarsa, işte aynı acı benim de hissettiğim. Üstelik bu sadece yokluk düşüncesinin verdiği bir acı. Gerçekten yok olduğunda nasıl bir acı duyacağım acaba?

Seni çözdükçe, sırlarını öğrendikçe hayranlığım daha da artıyor. Aşkın bize çizdiği yolda seninle el ele, yürek yüreğe yürümek kadar güzel bir şey olamaz. Hayranım dedim ya sana, ciddiye al beni. Her hareketin, her tavrın ezberimde. Beynime kazınmışsın. Gülüşlerin, bakışların, dokunuşların her yerde, her zaman aklımda. Tanrısal bir sevda bu. Öncesi ve sonrası olmayan, bitimsiz.

Aşkı hep böyle yaşadım ben. Ateşlere attım kendimi hiçbir pişmanlık duymadan. Yaşadığım her anın kıymetini bilerek, her ana apayrı anlamlar yükleyerek. Ama ilk kez, yemin ederim meleğim ilk kez, kaybetme korkusunu bu kadar yoğun hissediyorum içimde. Demek ki ilk kez böylesine derin seviyorum. Yeniden sığ sulara girme ihtimali beni bu kadar korkutan. Elini uzat bana, bak gözlerime. Yeneceğim korkularımı...

Ölümden öte sevmek

Yokluğunun dayanılmaz olduğunu bin kere söyledim sana, anlamıyorsun. Oyun mu oynuyorsun yoksa başka hesapların mı var, neden gelmiyorsun? Bu mudur aşk, sevgilim? Varlığınla sevgiliyi yokluğa mahkum etmek midir aşk? Hesapların mı var yoksa, neyin peşindesin söylesene bana?

Bunca yıldan sonra, yaşanan tüm aşkların bıraktığı tortuyu sildiğini sanıyordum. Öyleyse niye bu kadar ağır yüreğim, niye taşıyamıyorum? Her gidenin yaptığı gibi sen de sana ait bir yara mı bırakacaksın yüreğimde? Ben aşkı mutlu kılmanın yollarını arıyorum. Ama sen... Uzak kaldıkça bana yavaş yavaş yok oluyorum, bitiyorum görmüyor musun?

Bazen, "Çek git" diyorum kendime, "Senin kadar sevmiyor işte, anla..." Ama değil, seviyorsun, gözlerin anlatıyor bunu. Sesin titriyor beni gördüğünde, ellerin terliyor. Paylaştığımız her şeyi sen de benim kadar güçlü duyumsuyorsun. Peki ne tutuyor seni söylesene? Bu aşkın büyüsüne kaptırmak için kendini ne bekliyorsun?

Aşkta akışa bırakmalı insan kendini. Her şeyi kontrol etmek aşkı yaşanmaz kılar. Bilmeyeceksin yarın ne olacağını. Sevgilinin kapına hangi sürprizlerle geleceğini bilmeyeceksin. "Acaba yarın neler yaşayacağız?" diye bir gün önceden merak edeceksin. Heyecan basacak bedenini, her an her şeye hazırlık olacaksın. Böyle yaşanmalı aşk, sürüklemeli ikimizi de. Başka duygularla karıştırma aşkı. Her duygunu kontrol altında tutabilirsin ama aşkı değil. Aşk olmuyor o zaman işte, yaşadığın başka bir şeye dönüşüyor. Adına ne dersen de; ama, aşkla en ufak benzer yanı yoktur o duygunun.

Öldürme aşkı sevgilim, ben gelecekten söz etmiyorum sana, "Bugün" diyorum, yarın, öbür gün olacaklarla bağlamıyorum aşkımı. Ya dorukta yaşamalısın aşkı, ya hiç bulaşmamalısın. Şimdi bir kezz daha dinle yüreğinin sesini ve söyle bana, aşk bu kadar yakınındayken, bu kadar içindeyken neden itiyorsun onu? Kendini inandır önce, sonra çık yola. Coşkuyu da, mutluluğu da aşkta bulacaksın. Bir de bana bak, yüzüme... Ölümden öte sevmenin ne demek olduğunu anlayacaksın...

Adın eksilmesin dilimden

Özlemin alev alev yandığı saatler bunlar. Gün çekiliyor, ay parlıyor. Haydi, geleceksen şimdi gel. Umudunla, yüreğinle, sevdanla gel, yık karanlığımı. Hayata dair kötü olan ne varsa yık onları, beni yeni umutlara sürükle. Aşkın en koyusuna, en tutkulusuna götür beni.

Bin yıldır bekliyor gibiyim seni. Bin yıldır karanlık bir odada tek başıma oturuyorum sanki. Kim girip çıkmışsa hayatıma, kim talan etmişse yüreğimi hepsini silmek için gel. Bir tek sen kal içimde. Seni bileyim bundan sonra. Sevdan yetsin bana. Senin aşkınla yaşamak istiyorum artık, öyleyse gel, bekleme gel.

Seninle olmak, seni duymak, seni görmek, seni anlamak, seni yaşamak tarifsiz sevinçler yaratacak içimde biliyorum. Bu yüzden sesleniyorum sana. Dallarımdaki kurumuş yaprakları tek tek temizlemek istiyorum artık. Gelişinle yeniden yeşermek, yeni yapraklar açmak istiyorum. İster haber ver, ister verme; ama, gel, bekliyorum.

İstanbul'u sokak sokak geçip gel. Her sokakta kendi izini göreceksin, şaşırma. Nereye gittiysem seni de götürdüm yoktun; ama, yanımdaydın. Hep yüreğimde, hep aklımdaydın. Seni İstanbulsuz, İstanbul'u sensiz düşünemedim. Gel, bu kentin tarihine en ölümsüz sevdayı yazalım. Nice aşka mezar olmuş İstanbul, bu kez kabul etsin yenilgiyi. Haydi gel, biz İstanbul olalım.

Korkma gel, başkalarında gördüğün ihanetler, ikiyüzlülükler, bitmek bilmeyen acılar yok bende. İlk kez bırak kendini kaygısızca. Yarını düşünmeden, 'ya sonra' demeden gel. Kurtul seni saran tutsaklıklardan, sana yazdığım, seni yazdığım şiirleri okumak için gel.

Bak, günler anlamsızca geçip gidiyor. Oysa ömür dediğin şey üç günlük. Birlikte ve severek tüketmek varken günleri, böyle koyu karanlıkta kalmak niye? Gel haydi, sensiz geçen günlere bir yenisini daha eklemek istemiyorum. Özlem yanıyor alev alev. Özlemin ateşini söndürüp aşkın ateşini yakmaya gel. Bekleme artık, geleceksen şimdi gel. Gel ki... Adın eksilmesin dilimden...

Bir tek seni unutmam

Bir başıma bu kentin sokaklarında yürüyorum. Üşüyorum. Ne kadar uzaksan bana o kadar soğuyor hava. Sen yoksan, sıcaklık hep mevsim normallerinin altında. Bu yüzden meteoroloji raporları umurumda bile değil. Kar mı yağıyor yoksa yağmur mu, bana ne? Ben senin hasretinle sırılsıklamım zaten, daha ne kadar ıslanabilirim ki?

Burada mısın değil misin belli değil. Bazen gidişlerin kahramanı oluyorsun, bazen sonsuz kalışların. Doyumsuz gecelerdesin kimi zaman, bazen de yalnız karanlıklardasın. Bitmek bilmez bir şarkısın; ama, ben mi notaları yanlış basıyorum da sen bu şarkıyı söylemiyorsun? Neden susuyorsun?

Aşkın sessizliği ne kadar korkunç olur bilir misin? Bir tek kelimeye hasret geçen gecelerin hesabını soracağın kimse de yoktur üstelik. Kendi kendiyle konuşana deli derler ya, beni çoktan akıl hastanesine kapatmaları gerekirdi. Hem de iflah olmaz hastalar bölümüne...

Yokluğuna alışmaktan korkuyorum, ne kadar kötü... Yokluğunu yürüyorum sokaklarda. Yokluğunu içiyorum kadeh kadeh. Hiç gelmeme ihtimalin bir idam mahkumuna dönüştürüyor beni. Hiçbir şey yapmadan beklerler ya hücrelerinde, ölümün soğuk nefesini hissederek... Anlamlı olan bir şey yoktur onlar için. Belki de bir an önce ölmektir akıllarından geçen, bu bekleme işkencesi bitsin diye... Bu yokluk hissi öldürecek beni...

Gelebilme ihtimalinse yüreğimdeki kuşları havalandırıyor, kanat seslerini duy. Gelmek iste yeter ki, yorulmayasın diye kuşlarım taşır seni bana. Bir görsem yüzünü, ah bir dokunsam sana... Göreceksin, sevdanın çiçek çiçek açtığını, umudun bir yangın gibi alev alev ikimizi birden sardığını. Anladım ki mümkün değil seni sensiz yaşamak. Ben o gönlü genişlerden değilim. Madem içimdesin, yüreğimde taşıyorum seni, o zaman yanımda da olmalısın. Sensiz yaşanmayacak bu aşk ötesi yok.

Şimdi yalnız geceleri seviyorum. Seni yıldızlarda buluyorum. Daha bir dayanılır oluyor sensizlik sancısı. Mümkünü yok çıkmayacaksın aklımdan, bu yüzden gece, el ayak çekilmişken, hiçbir ses yokken seni düşünmek -yokluğunu değil ama- daha iyi. Bütünüyle sen oluyorsun o zaman her yerde. Ne kadar yakışıyorsunuz birbirinize, sen ve gece... Zaman geçer, her şey unutulur, bir örtüyle kaplanır acılar, ama... "Bir tek seni unutmam ece..."

Her şeyim sen...

Sen... Yüzümdeki gülüşlerin, ellerimdeki terlemenin, yüreğimdeki deli atışın sebebi... Her gece uykum, her sabah güneşim. Yıldızım, ayım, akan kanım. Bitmeyen masalım. Bahçedeki çiçeğim, çiçekteki rengim. Gökyüzüm, denizim, mavim sen...

Sevdamın adresi, aşkımın menzili, içkimdeki tat, yaşadığım hayat sen... Sebebim, niyetim, geleceğim, geçmişim, bilinmezliğim, belirsizliğim, kararlılığım, kararsızlığım sen... Bitmez yolculuğum, sonsuzluğum. Sen, gözüm, elim, yüreğim. Beyaz kelebeğim, bebeğim sen...

Hani gidecek olsan, yollarına sererim tüm kır çiçeklerini. Bilirim basamazsın çiçeklere de yine kalırsın benimle. Üzülecek olsan, içim erir, kalırım öyle. Seni bir üzen şey beni bin üzer inan. Kırıyorsam seni, bu benim densizliğimdendir, şaşırmışlığımdandır. Kendimle kavgalıyım ben. Bir yanım sana tutkun, bir yanım çok bencil. Kayboluşlara vuruyorum kendimi, seni üzdüğümü bilmeden. Her kayboluşum yara açıyor sende biliyorum. Ah ben, nasıl da vurdumduymaz olabiliyorum bazen... Bakma bana birtanem, içimdeki aşkın büyüklüğünü ölçme sakın bunlarla. Seviyorum diyorsam seni, öyle. Gereğinden fazla 'erkeğim' bazen, bağışla...

Seni bilirim ben, bir tek seni. Seni söylerim, seni duyarım her yerde ve her zaman. Sensiz olmaya gücüm yok artık, sensizliğe katlanmak benim harcım değil. Seni her şeyinle, ay parçası yüzünle, duruşunla, gülüşünle, bakışınla, konuşmanla, çocukluğunla, olgunluğunla, kızgınlığınla, şaşkınlığınla, güçlülüğünle, zayıflığınla kabul etmişim bir kere. Ne değiş, ne de değiştir beni. Biz böyle sevdik birbirimizi. Seni sen yapan ne varsa kabulümdür hepsi.

Seni özlemek diye bir şey de var bu hayatta ve bu bazen öylesine dayanılmaz oluyor ki... Yokluğunu yaşamayı beceremiyorum, üzgünüm. İçimdeki o 'fazla erkek' yokluğunda çekiliyor bir köşeye ve ben güçsüzlüğümle başbaşa kalıyorum. Katlanamıyorum anla, sensizliği 'yok' hükmünde sayıyorum. Sensizlik diye bir şey yok, öyleyse sensiz kalmak da yok.

Şimdi hangi denizin kıyısındaysan, hangi göğün altındaysan önce o sonsuz maviliğe sonra da başını yukarı kaldırıp yıldızlara bak. Aşkımı, yüreğimi, içimdeki seni mavilere yükleyip gönderiyorum, tut onu. Tut ve bırakma... Ben maviyi sende buldum, beni başka renklerle kandırma...

İşte öyle bir şey

Hani bir yağmur yağar da bazen... (Birden aklınıza uzun zamandır haber alamadığınız, ne yaptığını bilmediğiniz eski sevgiliniz gelir.) Hani gök gürler ya arkasından... (Arayıp, aramama arasında gidip gelirsiniz. İçinizden bir ses 'ara' demektedir ve o ses giderek yükselmektedir. Telefon ellerinizdedir, numaralar aklınızda. Dayanamaz, dokunursunuz tuşlara.) Hani şimşekler çakar peşinden... (O da çok sevinmiştir sesinizi duyduğuna. 'Nasılsın?' diye sorarsınız; ama, aslında merak ettiğiniz şey 'Bensiz nasılsın'dır.)

Hani ıssız bir yoldan geçerken... (Duyduğunuz ses öyle tanıdıktır ki, güven verir size. Birlikte paylaştığınız anılar birer birer geçit yapmaya başlar önünüzden.) Hani bir korku duyar da insan... (Sesini test etmeye çalışırsınız. En ufak bir titremeyi, en ufak bir heyecan kırıntısını kendinize yontarsınız. 'Demek o da etkileniyor' dersiniz. Ya da tam tersi... Sesindeki soğukluğu algılamaktan korkarsınız. O soğukluk, size dair içinde hiçbir şey kalmadığını gösterecektir ve bununla yüzleşmek o an hiç de işinize gelmeyecektir.) Hani bir şarkı söyler içinden...

(Söylemek istediğiniz çok şey vardır. 'Özledim' demek istersiniz; ama, bunu içinizden söylersiniz. Aynı şekilde karşılık görememeyi kaldıramayacağınız için tedirginsinizdir.) Hani eski bir resme bakarken... (Sahi neden ayrılmıştınız? Neydi bu aşkı bitiren şey? Düşündüğünüzde ne de anlamsız gelir. Belki basit bir kavga, belki bir kıskançlık. Belki de bir ihanet; ama, hiçbir şeyin önemi yoktur artık. Oradasınızdır, onun yanında. Gözünüzün önünde hep onunla olduğunuz anlar vardır.) Hani yılları sayar ya insan... (Ayrıldığınız ilk anlarda ne kadar da umutsuzdunuz. Günler, geceler geçmek bilmezdi, sayardınız; ama, bitmezdi.) Hani gözleri dolar ya birden... (Gözyaşları, hücuma kalkmaya hazır askerler gibi beklemektedir gözlerinizin içinde. Konuştukça ağlamamak için zor tutarsınız kendinizi. 'Neden' demek istersiniz, 'Neden bitti'... Diyemezsiniz, dudaklarınızı ısırırsınız. İçinize akar gözyaşları çaresiz. Zayıflığınızı anlamasını istemezsiniz.)

Hani yıldızlar yanıp sönerken... (Oydu yıldızınız bir zamanlar. Siz her yıldıza onun adını verirdiniz.) Hani bir yıldız kayar ve insan... (Ama yoktur o yıldız artık. Yıldızsız gecelerde yaşamaya mahkumsunuzdur ya da kendinize yeni bir yıldız bulmuşsunuzdur.) Hani bir telaş duyar ya birden... ('Ne yapıyorum ben?' diye sormaya başlarsınız bir anda. Telefonu 'Kendine iyi bak' sözüyle kaparsınız ve yalnız kalırsınız. Bir garip duygu çöker omuzlarınıza... Ve o duyguyla uyuyakalırsınız.)

Sabah uyanırsınız ve sorarsınız kendinize 'Neydi bu?'... Cevabı yoktur. Çünkü 'İşte öyle bir şey'dir bu... O an yaşadığınız ve belki de bir daha hiç yaşamayacağınız bir şey...

Böyle uzak kalma bana

Ayın karanlığına sakladım düşlerimi. Bir sevdanın yollarında berduşça geziyorum şimdi ve sen, beni sevmeme ihtimalinle buz gibi duruyorsun karşımda. Gerçeği duymaktan, ilk kez bu kadar çok korkuyorum. Söylediğin her söz diken gibi batıyor yüreğime. Tanrım, içim acıyor, içim acıyor...

"Güneşin donuk sarı gölgelerinin altından" bakıyorsun bana. Gözlerine baktıkça terk edilmiş bir ülkenin uçsuz bucaksız, insansız topraklarını görüyorum. Bir çiçek olmalı, açmaya yüz tutmuş. Bir çiçek, bin umuda yeter; ama, yok... Umutsuzluk ne sana ne bana yakışıyor. Yakışmayanı taşıyoruz üzerimizde, ne garip...

Ne kadar yakınsan o kadar uzaksın bana. "Kıyısız bir denizin uzaklığı" bu... Dalgalarının kayalara vurup parça parça olmasını istemediğin için mi küstün sahillere? Hangi gemi barınacak o denizde söylesene? Hangi gemi batmadan kalacak su yüzünde? Bütün fırtınaları göze almışken ben, şimdi neden yelken basamıyorum sendeki o sonsuz maviliğe? Senin görmediğin o sahilde demir atmış bekliyorum öylece... Ne zaman "İskele alabanda' diyeceksin?

Böyle donuk baktıkça sen, yapraklarını dökmüş asırlık bir çınarın kovuğuna yerleştirdiğim hüzünler bir bir çıkıyor ortaya. Derinden soluyorum acıları. Hep kal istiyorum, benimle kal... Hüzünler de o asırlık çınarın kovuğunda kalsın, böyle yaşayıp gidelim birlikte... Sonra yine donuk gözlerin dikiliyor karşıma, donuyorum...

Zamanda kaybolmuş iki yüreği yeniden biraraya getirmenin çabası benimkisi. Küllenmediğine inandığım bir alevi, yüreğimle yeniden canlandırmaya çalışmak... Yorgunsan en az senin kadar yorgunum ben de... Her şeye rağmen bir günebakan doğuyor içimde, ayın karanlığına sakladığım düşlere inat.

Şimdi sen aşk çiçeğim, bana en yakın haline bürün, yüreğine koy ellerini ve sadece yüreğinin söylediği sözleri dinle. Bir kez yakından bak bana, en yakından, gözlerimde kendini gör. Değiştir çirkin anıları en güzelleriyle. Aşk savaş değildir, bu yüzden yenilmedin hiç. Hoyrat eller yok karşında seni incitecek. Ben yaşatacağım seni, ölmene izin veremem bundan böyle. Sen de kapılma ölümün soğukluğuna...

Aşka aç gözlerini

Sana geldim kapatma gözlerini. Umutsuz aşkların bıraktığı bütün tortuları temizleyip, bir tek sana kalmak için geldim, bak yüzüme. Aşka dair ne varsa göreceksin gözlerimde. Kendini göreceksin. Seni yaşarken başka diyarlarda olamazdım. Yüreğimde seni taşırken başka kalplerin her an gitmeye hazır huzursuz konuğu olamazdım, bu yüzden geldim.

Vazgeçişlerle dolu bütün aşklara, bir yüreğin nasıl vazgeçilmez olabileceğini kanıtlamak için geldim, haydi bak bana... Ben o gözleri hayal ettim bunca yıl. Sensizliği yaşarken bile, gözlerin yıldız olup eşlik etti en karanlık gecelerde. En derin mavilikleri o gözlerde buldum. Ayazda bahardı gözlerin, gri bulutları dağıtan güneş. Yağmurdan sonra dünyayı çepeçevre saran gökkuşağı. Şimdi o gözlerden mahrum mu bırakacaksın beni?

Sana geldim diyorum anla beni, günahsız değilim biliyorum. Sensizliğe direnirken yaptığım hataları da alıp geldim yanıma. İçimde taşarken isyan, seni yok etmek adına yaptığım tüm saçmalıkları göstereceğim sana, aç gözlerini. Beni anlayacaksın biliyorum, insanı deli eden sensizliğe nasıl direndiğimi gördükçe bağışlayacaksın hatalarımı.

Bu aşkı görmezlikten gelemezsin, capcanlı karşında duruyor çünkü. Yüreğini de kapatabilecek misin gözlerin gibi? Söz geçirebilecek misin ona? Gözkapaklarına 'açılma' emrini veren beynin, yüreğine de 'atma' diyebilecek mi? Aşkı zehirli günlerin süzgecinden geçirdik biz ve koruduk. Umutsuzluk kurşunları yağarken aşkın üzerine, kendimizi siper ettik, nelerden vazgeçtik. Kolay olan vazgeçmekti, biz her şeyi göze alıp en dikenli, en engebeli, tuzaklarla dolu yollardan yürüyüp geldik.

Görmeyerek reddetmeye çalıştığın bu aşk sensin aslında. Aşkı değil, kendini reddediyorsun, bir hiçliğe mahkum ediyorsun. Ben gözlerinde ve yüreğinde yer almaya geldim. Açmazsan gözlerini asla göremeyeceksin bendeki seni. Haydi bak, nasıl doluyum seninle, nasıl gelip oturmuşsun yüreğimin en derin köşesine. Kapatma gözlerini, beni yeniden sonsuz maviliklere sal. Bana yeniden yaşat baharları. Bu aşk bizim mabedimiz olsun, kapanalım ve yıllarca hiç bıkmadan şükredelim aşkımıza. Haydi aşka aç gözlerini... Aşka ve hayata...

Her gördüğüm sen

Gözlerim sen sen bakıyor bu ara. Her gördüğüm şey sensin aslında. Ne garip öyle değil mi, böylesine kaptırır mı insan kendini aşka? Düşünsene meleğim, kendini kaptırmazsan aşk, aşk mıdır? Frenlememeli insan kendisini, bir an sonrasını bile düşünmemeli. Aşkı ancak o zaman taa derinde, en derinde hissedebilir insan.

Aşk varken en mutlu, en güler yüzlü, en keyifli, en deli oluyorum ben. Aşk varken her şeyi en tepede, zirvede yaşamak istiyorum çünkü. Aşkın coşkusuyla dolup taşıyorum ve hiçbir şekilde "Dur" demiyorum kendime. Hesabım yok. Ve meleğim, aslında benim hayatımdaki her şeyin "en"i sensin. En güzel sensin, en tatlı sensin, en anlayışlı sensin, en harika sensin... Aslında aşk sensin ve bu yüzden bütün "en"leri hak ediyorsun.

Aşkı böyle dolu dizgin yaşarken bir duvara çakılmak da var elbette. Nasıl tutkuyu ve mutluluğu dorukta yaşıyorsam, çakılırsam bir gün hüznü de en dipte yaşayacağımı biliyorum. Ama bunu göze almazsa insan aşkta böylesine zirveye ulaşabilir mi? Böyle derin hissedebilir mi aşkı?

Düşünüyorum da, aşk konusunda riske girmekten kaçınan ve üzülmekten korkup, yüreklerini bir sevgilinin ince dokunuşlarına kapayan insanlar yaşadıklarını mı sanıyorlar acaba? Yaşamın gerçek tadını alabilmek ancak aşkla mümkün. Aşka yüreğini koşulsuz açmakla mümkün. Öyle ucundan kıyısından yaşamakla olmaz bu iş. Ya tam vereceksin aşka kendini ya hiç bulaşmayacaksın. Başka ihtimali yoktur bunun.

Sen meleğim, yüreğimde bir tahtta oturuyorsun. Aşka dair ne varsa hepsini ayaklarının altına sermek istiyorum. Bana yaşattığın mutluluğun karşılığını verebilir miyim bilmiyorum; ama, çalışacağım. Seni bu dünyanın en mutlu insanı yapmak için uğraşacağım. Yaşadığım son güne kadar sana bakacak gözlerim, seni görecek. Her gördüğüm hep sen olacaksın, söz veriyorum. Senden önce yaşadıklarımı karanlık bir odaya kaldırıp kilitliyorum kapısını. Evet, sana ulaşmak için onların hepsini yaşamam gerekiyordu. Yaşadım ve bitti. Şimdi seni, sadece seni yaşamak, seninle yaşamak istiyorum.

Aşk... Az sonra...

Az sonra aşkı karşılamaya gideceğim. Yüreğim kıpır kıpır. Özlemin ateşini söndüreceğim. Yokluğunda geçirdiğim günlere inat, ağız dolusu güleceğim. Ve o da gülecek bana, mutluluğu içimde, en derinde hissedeceğim. Kaygılardan arınıp yalnızlığıma son vereceğim az sonra.

Ellerim terliyor şimdiden. Heyecan tüm bedenimi kapladı. Az sonra, aşkı gördüğümde bir-iki damla yaş da süzülecek gözlerimden. Aşkın yokluğunda hüznün işareti olan gözyaşları, az sonra mutluluğumun ifadesi olacak. "Ne çok özlemişim" diyeceğim, sarılacağım. O an zaman duracak, herkes kaybolacak. Sadece aşk kalacak...

Bir süredir yaşadığım hiçlik duygusu kaybolacak az sonra. Aşk yoktu ya, hiçbir şeyin tadı da, keyfi de yoktu. Yaşadığım her şey eksikti aslında. Belli etmemeye çalışsam da nereye gitsem, kimi görsem aşkı arıyordum hep. Az sonra bitecek bu arayışım. Aşkla birlikte kendimi de bulacağım. Beni aşk saracak, kendimi aşkın kollarına bırakacağım.

Hiçbir anı, bu kadar tutkuyla beklememiştim. Az sonra maviye kavuşacağım. Akdeniz'in mavisi, güneşin parlattığı göğün mavisi, aşkın mavisine karışacak. Az sonra, siyah kaybolacak, yalnız geceler yok olacak, aşkın şarkısı çalacak. Doğadaki her şey bu şarkının eşliğinde uyumla dans edecek. Aşkı yaşarken nasıl da değişir insan. Bu bir mucizedir aslında. Başka hangi duygu insanı bambaşka biri haline getirebilir ki? Aşk hayattır ve ben az sonra hayatımı yeniden yaşamaya başlayacağım. Aşk olmadan geçen günleri geçmiş saymıyorum çünkü. Aşk gittiği an hayat da duruyor benim için. Bu yüzden az sonra kaldığım yerden devam edeceğim hayatıma.

Giderek artıyor heyecanım. Yerimde duramıyorum. "Zaman bir an önce geçsin, gidip karşılayayım aşkı" diyorum. Ellerini tutup, gözlerine bakayım. Teninin sıcaklığını hissedeyim. Öpüşüyle kendimden geçeyim. Az sonra dinecek susuzluğum, geçecek açlığım.

Hazırlanayım ben artık. Bekleyerek geçmiyor zaman. Çiçekler alayım gidip. Taze, mis kokulu kır çiçekleri. Aşka layık bir karşılama olmalı. Aşk, bunca zamandır deli bir özlemle beklendiğini anlamalı. Az sonra anlatacağım hepsini. Aşk, bir daha gitmemek üzere kalacak benimle. Bense aşka vereceğim her şeyimi. Yarım yamalak değil, tüm benliğimle, varlığımla aşkın olacağım. Az sonra ben 'aşk olacağım...'"

Aşk sordu soruyu

Ölümlerin ve sevdaların acılarını süzüp, kendine bir mutluluk payı çıkarmayı biliyordu her zaman. Ne yaşarsa yaşasın, yarına dair umutlarını hiç kaybetmiyor, gelecekle ilgili plan yapıyor, hele hele o planlardan söz ederken gözleri ışıl ışıl parlıyordu. Mutsuzluklarla örülü dünyasında mutluluğun anlamını çok iyi biliyor ve hüzünlerin arasından her seferinde mutluluğu ortaya çıkarabiliyordu.

En çok gülüşü etkilemişti beni, biraz alaycı; ama, içten bir gülüştü o. Kendisi gibi içten gülmüyordu kimse çünkü. O, gülerken içten olduğun biliyordu. Bu yüzden de sahte bir gülüşü anında yakalayabiliyordu. Öyle çok şey yaşamıştı ki, çevresinde olan biten hiçbir şeye şaşırmıyordu. Kendisi, her ne kadar hayatla ilgili beklentilerini yüksek tuttuğunu söylese de, çok şey aramıyordu aslında. Aşkın her türünü yaşamış yüreği, daha az yorulmayı hak etmişti ve o da bunu sağlamak için uğraşıyordu.

Konuşurken kelimeleri özenle seçiyor, karşısındakinin gözlerine bakarak anlaşılıp anlaşılmadığının muhakemesini yapıyordu. Belli ki bugüne kadar hep eksik anlaşılmıştı. Satır aralarında ne söylediğini sezebilecek birini görmek istiyordu karşısında artık. Durarak konuşması da bundandı. Anlaşılamamak korkutuyordu onu.

Her kadından biraz daha fazla kıskanç, her kadından biraz daha fazla sahipleniciydi. Sevdiği insan ona kalsın istiyordu, sadece ona... İçindeki sevgi potansiyelini karşılıksız dağıtmaya hazırdı. Dostları için canın isteseler verebilirdi; ama, iş aşka geldiğinde dünyanın en bencil insanı olabiliyordu. Doğrusu da buydu...

Ne olursa olsun hep kendisiydi. Ne değişiyor, ne değiştirmeye uğraşıyordu. Biri onu değiştirmeye kalktığında yine geçmişten gelen yaraların verdiği savunma mekanizmasıyla anında saldırganlaşıyordu.

Ürkekti, güvensizdi. Kadın olmanın verdiği bir ürkeklik değildi bu. Yüreğinin bundan sonra bir darbeye daha dayanıp dayanamayacağını test etmek istemiyordu belki de. Kendini anlatırken coşuyor, başka alemlerde dolaşıyordu. Ama konu aşka geldiğinde duruluyor, istem dışı gözleri dalıyor, kendi hatalarını, başkasının hatalarını sürekli aklından geçiriyordu. Hak ettiğini bulamamış insanların ruh halini taşıyordu aşkı konuşurken.

Sonra gece bitti, herkes evine çekildi. Bir aşk kaldı bizi terk etmeyen. Dilimizde de yüreğimizde de... Bir de aklımızda bir soru... Aşk mı bu?

Aşk...

Bir sevdayı yaşamak ne zaman suç oldu?
Hangi yasa bir aşka ceza biçebildi?
Hangi savcı aşkın yanlışlığını iddia edebildi?
Hangi hakim kalemini kırıp aşkın ölmesine
hükmedebildi? Şimdi aşkı yargılamaya yeltenen
tüm mahkemeleri reddediyorum ve
aşkla ilgili kararı ben açıklıyorum...
Dünyada yaşanmış, yaşanan ve yaşanacak
ne varsa hepsini aşkın önünde
boyun eğmeye mahkum ediyorum...

Aşka sınır dayanmaz

Sınırsızlığın bir başka adıdır aşk.

Hiçbir ölçü birimi ölçemez aşkın yoğunluğunu.

Bir telefon sesini yıllarca bekleyen âşık için zamanın önemi var mıdır?

Ya da onu sadece 5 dakika görebilmek için binlerce kilometreyi heyecanla giden biri için uzaklığın ne önemi olabilir?

Karşılıksız seven birinin yüreğinin ağırlığı kaç tondur bilen var mı?

Kural tanımaz aşk, yazılmış ve yazılacak hiçbir yasa aşka engel olamaz.

Bir isyandır aşk.

Hangi tank, hangi top, hangi nükleer başlıklı füze durdurabilir bu isyanı?

Hangi ordu karşı koyabilir?

Aşk güçtür. Bütün bu silahları âşkın gücü durdurabilir ancak.

Hiç görmediğiniz birine aşık olabilirsiniz. Hatta adını bile bilmediğiniz birine tutkuyla bağlanabilirsiniz.

Matematikle açıklayabilir misiniz bunu? Ya da fizikle, kimyayla? Veya bir başka pozitif bilim dalıyla?

Hesap yapamazsınız aşk üzerine.

Yapmaya kalkarsanız hep yanlış sonuca ulaşırsınız.

Çünkü aşkın tek ve mutlak bir doğrusu yoktur.

Aşkta iki kere ikinin kaç ettiğini ancak siz belirlersiniz.

Durup dururken ağlarsınız. Ya da hiç olmadık bir yerde kahkaha atabilirsiniz.

Tıbba göre siz, ya delisiniz ya da delirmek üzeresiniz.

Ama aşk için olağandır bunlar.

Özlem dayanılmaz olduğunda, terkedildiğinizde, bir söze alındığınızda, unutulduğunuzda gözlerinizden süzülen yaşların taşıdığı anlamı hangi doktor anlayabilir?

Daha önce sevgilinizle gittiğiniz bir lokantada, onun yemeği üzerine dökmesini hatırlayıp kalabalığın ortasında gülmenizi engelleyecek bir ilaç var mı?

Birbirinize dokunurken, öperken, içinizden vücudunuza yansıyan o sıcaklığı ölçebilecek bir termometre icat edilmedi daha, edilmeyecek de...

Âşıksanız, ne yaşadığınız ülkenin adı önemlidir ne de hangi ulustan olduğunuzun.

Politik görüşünüz, ideolojiniz, aşka galip gelemez asla. Sağcı olabilirsiniz, solcu da. Ya da her neyse... Sizi buluşturacak tek ortak noktadır aşk.

Ve siz bu aşkı yaşarken aslında sağ, sol, ön, arka gibi kavramların küçücük birer ayrıntı haline geldiğini hayretle izlersiniz.

Ya ölüm...

İnsan hayatının sınırı olan bu soğuk gerçek bile aşka sınır olamaz. Çünkü ancak bir âşık göze alabilir sevdası için ölümü. Ancak bir âşık sevgilisi öldükten yıllar sonra bile aynı aşkı içinde taşıyabilir.

Sevgilinizin gözüne dikkatlice bakın. Sınırların nasıl yıkıldığını göreceksiniz.

Sevmek yetmez

Bir insana söylenebilecek en güzel iki kelime hiç kuşkusuz "Seni seviyorum"dur. Âşıksa insan, bunu binlerce kez söyleyebilir bıkmadan. Her söylediğinde gözleri parlar, içini bir sevinç kaplar. Ya duyan? Biri tarafından aşkla sevilmek, bunu o kişinin ağzından duymak nasıl da mutluluk vericidir...

Ama aşkı sadece "Seni seviyorum"a yüklemek, sadece bu iki kelimeyi söyleyerek aşkı yaşatmak doğru değil. "Seni seviyorum ya, daha ne istiyorsun?" diyenler var. Evet sevdikleri doğrudur, gerçekten seviyorlardır bunu tartışmıyorum. Ama aşk için çok şey yapılması gerekiyor. Aşkı dille ifade etmenin yanı sıra bir de hissettirmek gerekiyor.

Reşat Nuri Güntekin'in Çalıkuşu romanında Feride ile Kâmran'ın âşk hikayesi anlatılır. Bir türlü birleşemeyen bu iki âşık, nihayet kavuşmuştur. Romanın sonunda Kâmran, Feride'ye öyle bir sarılır ki... Feride kendini kurtarmaya çalışırken de Kamran şöyle der; "Benim olduğuna kalbimi inandırmak için senin ağırlığını duymaya ihtiyacım var..."

Her âşığın buna ihtiyacı var. Sözle anlatılır şey değildir bu. Hissetmek gerekiyor; ama, işin kolayına kaçıyoruz hep. Bu iki sözcüğe güvenip seriyoruz kendimizi. Sonra sorunlar başlıyor. "Ama ben onu seviyordum. Hem de çok seviyordum. Neden ayrıldık ki şimdi?" sorusu kafamızı kurcalıyor.

İş bu noktaya geldikten sonra ilişkiyi yeniden ayağa kaldırmak çok zor. Bu yüzden sevme işini ciddiye almak gerekiyor. İşinize verdiğiniz önemi sevginize de vermek zorundasınız. Sevmek bir ilişkiyi yürütmeye yetmez. Tüm benliğinizle vermelisiniz kendinizi sevmeye. Ya tam olmalı, ya hiç olmamalı. "Seni seviyorum" sözcüğünü sadece dilinizle değil, hareketlerinizle, davranışınızla da anlatabilmelisiniz.

Kolaycılık aşka göre değil. Sevmek uzun bir yol. Aşk bu yolun başlangıcı. Yolu sonuna kadar yürümek istiyorsanız enerji harcamalısınız. Bilerek ve isteyerek çıkmalısınız bu yola. Yarım yamalak sevgiler sizi de karşınızdaki insanı da mutsuz eder. Mutsuz olacaksanız niye seviyorsunuz o zaman? Sevginin bir ihtiyaç olduğunu hepimiz biliyoruz. Diğer ihtiyaçlarımızı karşılarken gösterdiğimiz ilgiyi sevmeye de göstermekten başka çare yok. Sevin, sadece dilinizle değil, yüreğinizle sevin...

Aşk olsun

Deli bir hızla akıp giden hayatın içinde kendimize ve aşka ayırdığımız vakit giderek azalıyor. Hep başka kaygılarımız var, hep başka önceliklerimiz. Oysa aşk kırılgandır, alıngandır. Önemsenmediğini anladığı yerde durmaz. Mutlaka başka bir yol bulur kendine ve hak ettiği değeri verecek birini bulana kadar da o yolda yürür.

Aşkı bulduysanız eğer, gerçekten çok şanslısınız. Bir bakın çevrenize, kaç kişi var sizin gibi? Kaç kişi aşkla yoğuruyor hayatını? Yanınızda sevgiliniz varken izlediğiniz filmi tek başına izlediğinizde aynı tadı alamayacağınızı bilmiyor musunuz? Birlikte iki kadeh içerken, yolda yürürken, denize bakarken, yıldızları sayarken nasıl da mutlusunuz öyle değil mi? O zaman sahip çıkacaksınız aşka, tutacaksınız ve bırakmayacaksınız.

Önceliğiniz her zaman ve her durumda aşk olmalı. Aşkı yaşarken işinizde de başarılı olursunuz, ailenizle, dostlarınızla ilişkilerinizde de. İnsanın kendisini sevmesinin, kendisiyle barışık olmasının en büyük nedenidir aşk. Yüzleri gülmeyen, sürekli asık suratla dolaşan insanlara bir sorun; hemen hemen hepsinin hayatında aşk yoktur. Bu yüzden aşkın verdiği mutluluk duygusundan uzaktırlar. Bu yüzden her şeye kötümser bakarlar, hiçbir şeyi beğenmezler.

Zamanla birlikte aşkı da hoyratça harcıyoruz ne yazık ki. Aşk, bohcasını toplayıp gittiğinde de "Neden böyle oldu?" diye sorup cevabını da bulamıyoruz üstelik. Cevabı bizim yüreğimizde oysa. Yüreğinizin sesini dinlediğiniz sürece ömrünüz aşkla dolu ve mutlu olacaktır. Hayat hep maddi şeylerden ibaret değildir. İyi bir ev, bir araba, kariyer peşinde koşturup dururken yıllar sonra geriye dönüp baktığınızda bir tek kişinin bile yüreğinde iz bırakmamış olduğunuzu göreceksiniz. Ne acı...

Siz aşka fırsat verirseniz, aşk size milyonlarca fırsat verir. Hayatınızdaki her şey anlam kazanır. Her şeyi aşk için yapmaya başlarsınız. Başarılı olacaksanız aşk için, para kazanacaksınız aşk için. Öyleyse geçip giden hayatın içinde aşka ayıracağınız zamanınız mutlaka olsun. Hayatınızda aşk hep olsun. Ancak o zaman insan olmanın ne demek olduğunu anlayabilirsiniz. Aşk sizin yol göstericinizdir, pusulanızdır. Bozmayın pusulanızı, kaybetmeyin. Hayatın karmaşık labirenti içerisinde size doğru yolu gösterecek tek şey aşktır.

Öyle olsun...

Ağlayacak mısın? Yeni gelen yılı da kendini bir hücreye hapsedip öyle mi geçireceksin? Geçmişe takılı kalıp pişmanlıklarının hesabını mı yapacaksın? Keşkelere mi yükleyeceksin yine zamanı? Yaşadığın güzel şeyleri bir kenara bırakıp hep kötü anılarını mı hatırlayacaksın? Sana sunulan güzellikleri elinin tersiyle geri çevirip "Ben böyle mutluyum" rolüne mi bürüneceksin?

Dostların var, seni seven, değer veren. Yine farkına varamayacak mısın, onlar için ne kadar önemli olduğunun? Kaç kişiyi kıracaksın bu yıl? Kaç dostunu küstüreceksin? Her giden dostun ardından "O zaten şöyleydi, beni hiç anlamazdı" yalanına mı sığınacaksın? Senin için bir şeyler yapmaya çalışan insanları görmezden mi geleceksin?

Yüreğin sıkıntıyla atacak öyle değil mi? Huzursuzluk ve mutsuzluk kapından hiç ayrılmayacak. Peki bir kez olsun umuda şans vermeyecek misin? Geleceğe dair bir tek hayal bile kurmayacak mısın bu yıl da? Hiç hedefin olmayacak mı?

Ulaşmak için çaba göstermeyecek misin? "Armut piş ağzıma düş" sözü hayat felsefen olmaya devam mı edecek?

Ya aşk? Burun çevirdiğin, elinin tersiyle ittiğin aşk? Korktuğun, kaçtığın, asla cesaret edemediğin, hep uzaktan baktığın, küçümsediğin ve "Kesinlikle bana göre değil" dediğin aşk? Oysa zamanı güzelleştiren en önemli duygudur aşk. Ve sen, orada öyle duruyorsun ya, bir kez aşka açsan yüreğini bütün bu olumsuzluklardan kurtulacağını biliyorsun aslında. Söylesene, neden işine gelmiyor? Hayatını değiştirebilecekken, umudu ve mutluluğu kucaklayabilecekken, hiç olmadığın kadar neşeli, hiç olmadığın kadar hayat dolu olabilecekken neden sırtını dönüyorsun?

Bir kez âşık olsan, ne dostlarını kırardın ne de geçmişe takılı yaşardın. İnsan olmanın, dolu dolu gülebilmenin, keyifle yaşamanın ne demek olduğunu anlardın. Ve zaman, işte o zaman anlamını bulurdu senin için. Şimdi "Bir an önce bitse" dediğin günlerin hiç bitmemesini isterdin. Her yeni yıl, yepyeni oluşumlara gebe olurdu. Sevgilisiyle el ele yeni yılı kutlamaya hazırlananları gördüğünde somurtup durmazdın. Yine de sen bilirsin. Senin için bu yıl nasıl istersen öyle olsun. Bense severek geçireceğim bütün bir yılı. Delice severek... Aşkla ve maviyle...

Tutacak mısın sözünü?

Sen, bırakıp gitmelerin prensesi, ben bitip tükenmeyen beklemelerin esiri... Geceler boyu dört duvar arasında ve yalnız, saatin tıkırtılarını dinleyerek geçirdim zamanı. 'Geleceğim' demeseydin, daha az acırdı içim. O umut böylesine zor kıldı hayatımı...

Hangi yola vursam başımı, hangi yolculuğa çıksam, seni arayışların ortasında buluyorum kendimi fark etmeden. Kendimle kalmak isterken bakıyorum ki, senin peşindeyim, seni arıyorum. Sonsuz bir arayış bu belki de, ömrümü seni bulamadan tamamlayabileceğimi de biliyorum.

Her gidişinde bir parça götürdün benden. Her gidişinde yüreğimde bıçak izleri kaldı. Acımla yaşamayı yeni yeni öğrenirken, tıpkı emekleyip de tökezleyen bebekler gibi düşe kalka yürürken hep yeniden çıktın karşıma. Her gelişin yeniledi beni. Acılarım küllendi, yüreğimdeki yaralar kapandı.

İnsafsız olduğunu düşünüyorum bazen. Giderken beni ne hale getirdiğini hiç düşünmedin. Öylesine kararlıydın ki, sana dur bile demeye fırsat bırakmadın. Bazen de yalancısın.

Benimle sonsuza kadar kalacağını söylemiştin, inanmıştım. Yanımdan ayrılmayacaktın, kanmıştım. Tutmadın sözünü...

Zaman inanılmaz bir hızla akıp geçiyor ve ben sensiz günlerimi sayıyorum. Sensiz ve yaşanmamış günlerimi... Oysa senin kıymetini bildim ben. Kırmadım, incitmedim seni. Bir tek gün bile yalnız bırakmadım. Benimle olup olmadığını umursamadan, seni yaşattım içimde, bıkmadım. Dikkatliydim, duyarlıydım. Bir tek kötü söz söylemedim hakkında, bir tek şikayette bulunmadım. Gidişlerine hep bir kılıf uydurdum kendimce. İstedim ki, senin bu kadar vurdumduymaz olduğunu bilmesinler. İstedim ki, senin bu kadar kolay bırakıp gittiğini duymasınlar.

Hangi iklimde hüküm sürüyorsun şimdi, hangi sevdanın kahramanısın? Kimin yüreğinde ilan ettin iktidarını? Söylesene ey aşk, tutacak mısın verdiğin sözü? Gelecek misin? Beni bu bahar da sensiz yaşamaktan kurtaracak mısın?

Oyun değildir aşk

Yaramaz çocuklar gibisiniz. Aşkı bir oyun, sevgiliyi de bir oyuncak gibi görüyorsunuz. Önce her çocuk gibi o oyuncağa sahip olmak için her şeyi yapıyorsunuz. Hatta yalanlar söylüyorsunuz. Kendinizi değiştirip olmadığınız gibi görünüyor, oyuncağı elde etmek için her yolu mübah sayıyorsunuz.

Oyuncak sizin olduğu an oyun da başlıyor. Elde etmek için söylediğiniz yalanları, değiştirdiğiniz kişiliğinizi en azından bir süre için devam ettirmek zorundasınız.

Ama bir süre sonra bu oyunun böyle devam etmeyeceğini anlıyorsunuz. Çünkü sıkılıyorsunuz, yalan söylemek, başka biri olmak kolay değil elbette. Başta elinizden hiç bırakmadığınız o oyuncağa ayırdığınız zaman giderek azalıyor. Bir şey olmasın diye hep baş köşeye koyduğunuz, koruduğunuz oyuncağınızı hor kullanmaya, kötü davranmaya başlıyorsunuz, yıpratıyorsunuz.

Daha da ileri gidip bir süre sonra görmeye bile tahammül edemez hale geliyorsunuz. Orada, bir köşede, sessizce durması bile rahatsız ediyor sizi. Sonunda "En iyisi ortadan kaldır mak" deyip, kırıyor ve atıyorsunuz oyuncağınızı.

Sonra yeni bir oyuncak bulmak için yeniden aynı şeyleri yapmaya başlıyorsunuz. Sonucunun yine aynı olacağını bilmenize rağmen, aynı sıkıcı oyunu tekrarlamaktan hiç vazgeçmiyorsunuz. Hayatınızı oyunlarla süslerken, kendinizi korkunç bir yalnızlığa mahkum ettiğinizin farkına bile varmıyorsunuz... Kıran, döken siz olduğunuz için kimsenin sizi kırmayacağını düşünüyorsunuz; ama, yanılıyorsunuz. Kullandığınız silah bir gün mutlaka geri tepecektir. Ve siz, asla yerinde olmak istemediğiniz o oyuncağa döneceksiniz. Birileri de sizinle oynayacak, sıkılacak, kıracak ve bir kenara atacak. O zaman, hayıflanmak için ne yazık ki çok geç olacak.

Aşk sizin yaşam kaynağınız olmalı, ciddiye almalısınız. Önemli olan elinizdekinin kıymetini elinizden gitmeden bilmektir. Bunu başarabiliyorsanız, mutluluğun formülünü de bulmuşsunuz demektir. Başaramıyorsanız, sizin için üzgünüm... Çok üzgünüm...

94

Yalnızlığa ilk adım

Denizin kıyısında, küçük masada oturan adam, biraz sonra gelecek bir sevgiliyi bekler gibiydi. Sürekli etrafına bakınıyor, kısa aralıklarla sigarasından derin nefesler çekiyor, ayaklarını sallıyor, parmaklarıyla masaya vuruyor, zaman zaman da rüzgârda savrulan saçlarını düzeltiyordu. Hava bozuyordu, yağmur damlaları düşmeye başlamıştı bile. Adamın telaşı iyice artmıştı. Gözleriyle kapalı bir yer aradı. Belli ki, bekleyişine orada devam etmek istiyordu. Ancak deniz kıyısındaki o çay bahçesinin kapalı hiçbir yeri yoktu. Ayağa kalktı, bir-iki adım attı, sonra durdu. Bir şey unutmuş gibi tekrar masaya döndü. Masanın yanında bir süre daha ayakta durduktan sonra tekrar oturdu.

Kısa bir süre sonra bir kadın masaya doğru yaklaştı. Adam, arkasında kaldığı için kadını göremiyordu. Kadın adamın sırtına dokundu. Adam birden geriye döndü ve kadını görünce bir an bile beklemeden boynuna sarıldı. Kadının kolları ise iki yandaydı, sarılmıyordu.

Kadın, adamın karşısına oturdu, yüzü ifadesizdi. Adamsa kadını görmekten mutlu, gülüyor, sürekli konuşuyor, hareket ediyor, yerinde duramıyordu. Kadın adamı susturdu ve kendi konuşmaya başladı. Kadının ağzından kelimeler döküldükçe adamın yüz ifadesi değişiyordu. O mutlu yüz, yerini endişeli bir ifadeye bırakmıştı. Kadın durarak konuşuyor, konuşurken denize bakıyor, ancak ara verdiğinde adamın ifadesini görmek için gözlerini adamın yüzüne çeviriyordu. Adam, kadının konuşmasının arasına girip bir-iki soru sormaya çalışıyordu; ama, kadın daha soruyu duymadan konuşmasına kaldığı yerden devam ediyordu. "Bu konuşma bir an önce bitse de gitsem" havasındaydı.

Nitekim öyle oldu. Kadın birkaç dakika daha konuştuktan sonra masadan kalktı ve hızlı adımlarla çay bahçesini terk etti. Adam masada kaldı, giderken kadının arkasından baktı. Kadın gözden kaybolduğunda adam yüzünü denize çevirdi. Kıpırdamıyordu, sanki donmuştu. Çiseleyen yağmur iri damlalara dönüştü. Çay bahçesi bomboştu artık. Bir tek o adam, o masada denize bakarak hiç kıpırdamadan oturmaya devam ediyordu. Sırılsıklam olmuştu...

Uzun bir süre sonra masadan kalktı adam. Kadının gittiği yönün tam aksi istikametine doğru yürümeye başladı. Nereye gittiğini bilmiyordu. Bildiği tek şey bir daha asla o kadının gittiği yolda olmayacaktı... Yaşanacak çok fazla yalnız gece vardı ve adam o gecelerden ilkini yaşamaya hazırdı...

Sonbahara dair

Ah sonbahar, hazan mevsimi. Uzayan geceler, bulutların arasında kaybolan yıldızlar; akıllarda eski bir aşkın taze kalmış anıları, yaşanmamış yaz günlerinin özlemi, derinden gelen, hafif; ama, içe işleyen bir müzik, elde bir içki kadehi...

Anılar ve özlem hep bir yarım kalmışlık duygusu verir insana. En çok da sonbaharda hissedilir bu duygu. Sonbahar düşünme mevsimidir, belki de hesaplaşma... Biriyle birlikte olmanız, deli bir aşka tutulmuş olmanız da değiştirmez bu gerçeği. Sonbahar mutlaka kavrayacaktır sizi, bu mevsimin yüreğinizde yarattığı değişime kayıtsız kalamayacaksınız.

'Hüzün atakları'yla karşı karşıya kalacaksınız. İstemeseniz de, yere düşen sarı yapraklar, ince ince yağan yağmur, ürperten rüzgârlar, sessizleşen sokaklar, gri bulutlar hüznü dalga dalga yayacak içinize. İşte o zaman geçmişte yaptığınız hatalar tek tek düşecek aklınıza. Bir sorgulama seansı başlayacak. Tercihlerinizin ne kadar doğru, ne kadar yanlış olduğunu bulmaya çalışacaksınız. Düşünürken en çok kullandığınız sözcük "keşke" olacak.

Hep hatalar değil ya, bazen de bir tatlı anı uyanacak hafızanızda, nerede olursanız olun küçük bir gülümseme yayılacak dudaklarınıza. Yüreğinizde minicik bir kuş kanat çırpacak. Bir şarkı duyacaksınız; "Her sonbahar gelişinde, sarı sarı yapraklarla, kuru dallar arasında, sen gelirsin aklıma...", yıllar öncesine gidip orada kalacaksınız.

Sonbahar sadece geçmişinizi değil, bugününüzü sorgulamanızı da sağlar. Yazın hengamesi içinde üzerinde pek de düşünmediğiniz ilişkinize sorular sormaya başlarsınız. Sevgilinin daha önce hiç dikkat etmediğiniz olumsuz yanları bu mevsimde daha fazla batmaya başlar gözünüze. Mevsimin verdiği hüznün etkisidir bu. Aşkınız için ayırdığınız enerjinin zaman zaman tükendiğini hissedersiniz. Yalnızlığı daha bir sevmeye başlarsınız.

Her şeye rağmen güzeldir yere düşen yaprakların üzerine basarak yürümek. Yağmurun altında sevgiliyle el ele dolaşmak. Hırçınlaşan denizi, kabaran dalgaları seyretmek. Uzun geceleri, yalnızsanız kendinizi dinleyerek, sevgilinizleyseniz, sohbet ederek geçirmek. Bırakın sarsın sizi sonbahar, dibine kadar yaşayın hüznü, mutluluğun değerini çok daha iyi anlamak için...

Kendini mutlu et

Kimi istersen onu seç; ama, önce kendini seç. Kendin için yaşa, kendin için sev, kendin için âşık ol. Kendini beğen ve kendini dinle her zaman. Ancak o zaman bulabilirsin mutluluğun formülünü.

Düşün ki; çok seviyorsun dans etmeyi. Ruhunu doyuruyorsun ve hayatının vazgeçilmezleri arasında. Öyleyse dans et. Durma, kimsenin seni engellemesine izin verme. Sırf başkaları mutlu olacak diye oturma sandalyeye, kalk ve pistin ortasına ilerle. Sonra dönmeye başla, yorulana kadar, bacakların ağrıyana kadar dans et. "Ne derler" diye düşünme, bırak konuşsunlar. Sen mutlu olacaksın gerisinin önemi yok.

Kendini yollara mı vurmak istiyorsun, bin ilk otobüse. Nereye gittiğine bile bakma, çık yola. Bir haber ver yeter, nereye gittiğini soranlara "Kendime gidiyorum" de. Kes dünyayla iletişimini ne olur? Bir mola yerinde pilav üstü az kuru yerken alacağın tadı düşün. Kayboluşlar insana kendini buldurur bazen. Hem keşfetmek diye de bir şey var bu dünyada. Serüvenci bir ruhun varsa bundan kime ne? Bir kaşif olmanın hazzını yaşa. Geride kalanları unutma elbette; ama, onlar da beklemeyi bilsinler.

Çok mu beğendin vitrindeki giysiyi, al o zaman. "Çok mini, çok renkli, çok frapan, çok sakil" mi diyecekler? Bırak desinler, sen kendine yakıştırıyorsun ya bu yeter. Giy ve bak aynaya. Nasıl, iyi hissediyorsun değil mi? Öyleyse hadi şu kırmızı olanı da al. Eskileri çıkar üzerinden ve onu giyerek git evine. Şaşırsınlar. "Bu da nereden çıktı şimdi?" diyene "Kendim için aldım, kendime aldım" de gitsin. Boş ver gerisini...

Korkma, iç bu gece. Sarhoş olmak istiyorsan ol. Bul şişelerin dibini. Kim kötü düşünürse düşünsün aldırma. Kötü düşünce kötü söz gibi sahibini bağlar. İç ve başla şarkı söylemeye. Bağıra çağıra söyle hem de. Şarkının sözlerini bilmiyorsan uydur, ne olacak ki? Merak etme, kınamazlar seni. Kınarlarsa da bu onların sorunu, sen eğleniyorsun ya... Kendi besteni kendin yap, kendi sözünü kendin yaz ve söyle."Bu şarkı da nereden çıktı?" diye sorarlarsa "Kendime yazdım" de, "Kendim için söylüyorum" de...

Ne yaparsan kendin için yap, kendini eğlendir önce. Sen mutlu ol ki, senin mutluluğun başkalarını da mutlu etsin. Mutsuzken, kimseyi mutlu edemezsin unutma. Ve sakın herkesi birden mutlu etmeye çalışma çünkü olmazlar. Sen mutluysan, bu herkese yeter...

Aşk diliyorum sana

Hayatı kendi eliyle yoğurmalı insan, kendi kontrol etmeli. Ne yaşıyorsa istediği için yaşamalı, neyi istiyorsa onu yaşamalı. Aşktır aslolan ve her duygunun üzerindedir, asıl aşkı yaşamalı insan hakkını vererek.

Dünyanın en isyankar duygusudur aşk. Hiçbir kuralı tanımaz, hiçbir kural aşkı engelleyemez. Aşıksan senden ve sevgilinden daha önemli başka hiçbir şey olmamalıdır dünyada. Önceliği başka şeylere veriyorsan, kandırma kendini, aşk falan değil senin yaşadığın.

Aşk, içinde bulunduğun durumu birden değiştirir. Her şey yenidir artık. Geçmişe dair verdiğin sözlerin, ettiğin yeminlerin dahi önemi yoktur. Aşkı bir takım şartlara bağlayamazsın. "Şu şu şu olursa o zaman bu bu bu olur" demek saçmalıktan başka hiçbir şey değil. Cesurların işidir aşk. Meydan okuyanların işidir. Devrimci bir ruh taşır bu yüzden. Her aşk iki kişilik devrimdir. Bu devrimi yapamayacaksan yeltenmeyeceksin bile âşık olmaya. "Ben bir yandan statükomu korurum, bir yandan da aşkımı yaşarım" diyemezsin. Hep yarım kalırsın o zaman. Hiçbir şey tam olmaz. Ne yeni bir hayata adapte olabilirsin ne de eskisinde kalabilirsin.

Seçme işidir aşk, seçeceksin. Sancılar çekeceksin, gecelerce düşüneceksin; ama, seçeceksin. Yok öyle çekimser kalmak aşkta. Bahaneler uydurup sonra da bu bahanelerin doğruluğuna kendini de inandırıp ne kadar yaşayabilir ki insan?

Kimse senin tercihlerine karışmaz; ama, sen aşkı tercih etmediysen kimse de sorumlu değildir bundan. Âşıksan kendin için âşıksın, kendini mutlu etmek için âşıksın. Birilerini mutlu etme adına yaptığın her şey sana mutsuzluk olarak geri dönecek, çaresi yok. Mutlu olmayacağını bildiğin yerde de olmayacaksın o zaman.

Güçtür aşk, insana, deli fırtınalara, kasırgalara karşı koyma gücü verir. Reddettiysen aşkı, bu güçten de mahrumsun demektir. Zavallı bir yaprak gibi savrulacaksın her rüzgârda. Bir dalın olmayacak tutunabileceğin. Ve bir gün- üç gün sonra ya da yıllar sonra, fark etmez- geriye dönüp baktığında "Ne yaptım ben" demek için ne kadar geç olduğunu anlayacaksın.

Şimdi yepyeni bir yıl var önünde. Sağlık, mutluluk, para ve başarı dileyecek dostların. Bense aşk diliyorum sana. Ayağının dibine kadar gelen aşkı anlayabilecek kadar güçlü duyguların olsun bu yıl... Olsun ki sen koca bir yılı pişmanlıklar içinde geçirme...

Sadece bir an

Bir an düşünün, sadece bir an. Hayatınız boyunca beklediğiniz; ama, bir daha elde edemeyeceğiniz bir an. O hep özlenen sevgili yanıbaşınızda. Neler sığdırabilirsiniz o ana? Neleri yaşayabilirsiniz o en kısa zaman süresi içerisinde?

Sözcüklerin önemi yoktur o anın içinde. O kısacık zamana aklınızdan geçen hiçbir şeyi, yüreğinizde biriktirdiğiniz özlem dolu, sevgi dolu, aşk dolu hiçbir sözcüğü sığdıramayacaksınız. Yarım kalacak kelimeler yerine gözlerinizle konuşacaksınız bitimsizce... Ayırmayacaksınız gözlerinizi onun gözlerinden. Bir öyküye dönecek bakışlarınız... Elleriniz buluşacak bu kez başka bir öykünün iki kahramanı olacaksınız.

Elleriniz başka, gözleriniz başka öyküler anlatırken sadece iki kelime dökülecek ağzınızdan... "Seni seviyorum..." Milyarlarca insan tarafından milyarlarca kez kullanılmış bu iki sözcük hissettiğiniz her şeyi sevgilinizin yüreğine aktarıverecek... "Senden önce yaşadığım ve sana yakışmayan bütün günlerimi değiştirdim senin verdiklerinle. O büyük karanlığımı senin estirdiğin rüzgâr alıp götürdü. Seninle bağdaşmayan ne varsa çıkarıp attım hayatımdan. Bildiğim her şeyi yeniden tanımladım senin gelişinle. Yeniden ad verdim her güzelliğe. Çirkin olan, kötü olan ne varsa seninle birlikte kaybolup gitti. Terk edilmiş bir limanda kendi halinde bekleyen köhne gemilerime en gizli denizleri açtın. Ben o maviliğin yolcusuyum şimdi, en sıkılmaz yolcusu... Adın bir dönülmezliğin simgesi artık. Sen sözcükleri ölümsüz kılansın. Sen umudun, sen aşkın, sen özlemin, sen hayatın adısın. Ve senin adını anmak bile tarif edilmez bir sevinç yayıyor içime. Şimdi yaşamayı seviyorum işte. Çünkü içinde sen varsın..."

Sonra o an bitecek, o sevgili gidecek... Size bir tek saniyesi bile boşa geçmemiş bir ömür kalacak. Bundan sonra yaşayacağınız her şey o ana adanacak. Bir kez daha tekrarlanmasın ne çıkar? Bir dokunuşla, bir bakışla ve iki sözcükle anlatabileceğiniz her şeyi anlattığınıza inanıyorsanız bırakın gitsin sevgiliniz. O anın büyüsüyle yaşasın. Bilecek ki dönerse, bütün ömrünüz boyunca her anınız "o an" gibi yaşanacak. Bu yüzden giderken yüreğini sizinle bırakacak. Yüreği sizdeyken ne kadar ayrı yaşayabilir? Yaşadıkları ne kadar tam olabilir? siz o ana bir ömrü sığdırabildiyseniz eğer mutlaka geri dönecek...

Ve o dönüş, her bir anı bir ömür gibi yaşanacak aşk dolu bir hayatın müjdecisi olacak.

Dönmezse, bir ana adanmış büyülü bir aşkın kahramanı olacaksınız. Bu bile mutlu edecek sizi, o anın büyüsü tüm yaşamınızı saracak. Başkaları olsa da, başka aşklar yaşansa da hiç unutulmayacak... Ne o sizi suçlayacak, ne siz onu. "Bir andı yaşananlar" diyeceksiniz, ve o anı yaşadığınız için kendinizi daha çok seveceksiniz...

Bir masaldır aşk

Yıllar geçse de modası geçmeyecek tek duygudur aşk. Yerini başka hiçbir şey tutamaz. En iyi şiirler, en güzel şarkılar da aşk üzerine yazılanlardır. Ve her aşk, iyi anlatılırsa eğer, bir masaldır.

Aşk varsa eğer, prens ve prenses olursunuz her biriniz. Kendi ülkenizi kurar, kendi saltanatınızı sürersiniz. Balkabağından arabanız, farelerden atlarınız, kediden sürücünüz olur, dilediğiniz yere, dilediğiniz zaman gidersiniz. Âşıksanız, yolda bulduğunuz dal asaya, asma yaprakları taca dönüşür. Üzerine oturduğunuz her taş tahtınızdır artık ve içinde bulunduğunuz her mekan sarayınız. Ve Zümrüd-ü Anka'dır artık başınızın üzerinde uçan her kuş...

Eğer aşkı yaşıyorsanız, iyilik perileri de sizinledir, lambanın cini de. Aşkın verdiği güçle yapamayacağınız hiçbir şey yoktur. İstediğiniz her şeyi elde edebilirsiniz. Kötü kalpli cadıyı, Kaf Dağı'nın ardındaki tek gözlü devi, mutluluğunuzu kıskanan çirkin suratlı büyücüyü alt edebilirsiniz. Ve mutlulukla süslü aşk ülkenizi ele geçirmeye çalışan istilacılara karşı aşkınızla direnip yüreklerinizle savaşabilirsiniz. Orduları ne kadar güçlü olursa olsun fark etmez. Aynı anda atan iki yürek dize getirmeyi bilir onları.

Bir masalda var olan her şey aşkta da vardır. Masallar için "inandırıcılığı olmayan uydurma öyküler" derler ya, siz onlara aldırmayın. Aslında her masal gerçeğin izlerini taşır. Düşünsenize, aşkınıza karşı çıkan, çok sevdiğiniz o insanla birlikte olmanızı istemeyen birinin, masallardaki kötü kalpli büyücüden ne farkı var? Ya da ikinizden birine göz dikmiş, ayrıldığınız an harekete geçmeye hazır akbaba kılıklı insanlar, masallardaki istilacılardan farklı mı?

Aşkı inanılmaz kılan da bir masal gibi olmasıdır. Ancak aşkı masallaştırmak, yüzyıllar sonra bile anlatılır hale getirmek için çaba göstermek gerekiyor. Romantizmin yaşanmadığı aşkların kalıcı olması mümkün değil. Romantizmi yaşayabilmek için de sevgilinize bir prens, bir prenses gibi davranmalı, daha da önemlisi öyle hissetmelisiniz. Ancak o zaman aşka 3-5 yıl ömür biçenlere inat, yıllarca sürecek bir serüvenin yorulmaz ve yenilmez kahramanları olabilirsiniz.

Romantizmi pahalı bir şey olarak algılamayın lütfen. Sevgilinizin başına helikopterden gül yağdırmak değil romantizm. Bir tek gülü sevgilinin gözlerinin içine bakarak "Seni seviyorum" derken, sunabilmektir. Ayı, denizi, dağı, ormanı, ağacı, yaprağı aşkınıza tanık edebilmektir. Hiç kimseye aldırmadan kentin sokaklarında sevgilinin dudağına kaçamak bir öpücük kondurabilmektir.

Aşkı yere, zamana ve kişilere bağlı kalmadan özgürce yaşamaktır romantizm. Kendinizi her şeyden soyutladığınız an o eşsiz masalın içinde yer alırsınız. Ve siz masalınızı iyi anlatırsanız, sonsuz aşk diye bir şeyin varolduğunu da anlarsınız. Bir gün bedenen yok olsanız bile ruhlarınız kainatın ya da öte alemin bir yerlerinde bulur birbirini. Aşkı yine aynı coşkuyla, aynı heyecanla yaşamaya devam eder. Çünkü masal bir kez anlatıldı mı, bir daha hiç unutulmaz... Kendi masalınızı yaratmak için bir an bile beklemeyin. Kendi masalınızı yaratmak için bir an bile beklemeyin. Yüreğiniz aşkla doluysa eğer az gidin, uz gidin, dere tepe düz gidin, pireyi berber, deveyi tellal edin. Sonra siz erin muradınıza, biz çıkalım kerevetine...

Özgür ruhlar

Bazen bir duygu alır götürür sizi. Gözlerinizi kapayıp şu an bulunduğunuz yerden çok uzaklara gidersiniz. Dağılır iç sıkıntınız, gülümsemeye başlarsınız. Bedeniniz halen buradadır; ama, ruhunuz çoktan erişmiştir gitmek istediği yere. Hep özlediğiniz o yerde, o sevgilinin yanındasınızdır artık.

Kavuşma anıdır bu. Bedenlerle olmasa da yüreklerle buluşma anı. Belki de bedenlerin buluşmasından çok daha etkileyici, çok daha coşku dolu. Yüreğin yüreğe değdiği, ruhların seviştiği bir andır. Ve insanın kendisini her zamankinden daha fazla özgür hissettiği... Sonsuz özgürlüğün varolduğunu anladığı bir an.

Düşünsenize, bedeninize bağlı değilsiniz, öyleyse kim tutabilir sizi? Sevgiliyle dilediğiniz yere gitme imkanınız vardır artık. Ya da dilediğiniz zamana, dilediğiniz mevsime. Birlikte yaratın yazı. Uçsuz bucaksız bir sahilde çıplak ayakla koşun. Baharı yaratın, papatyaların arasına uzanın birlikte. Bembeyaz karlarda yuvarlanın. Viyana saraylarında vals yapın, Arjantin'de tango... İzmir'de kumru yiyin, Trabzon'da hamsi... Nereyi istiyorsanız sizindir artık.

Çocuk olun isterseniz, oyunlar icat edip oynayın. Akşam ezanında eve gitme zorunluluğunuz yok, ne güzel. Siz de sinir olmaz mıydınız oyunun en heyecanlı yerinde annenizin pencereden seslenip "Ezan okunuyor haydi eve" diye bağırmasına? Üstelik mahallenin büyükleri bozamayacak oyununuzu. Bundan daha harika bir şey var mı? Yorulmayacaksınız da. Tükenmeyecek enerjiniz, günlerce istediğiniz kadar oynayabilirsiniz.

Evet, döneceksiniz bedeninize; ama, döndüğünüzde kendinizi öyle huzurlu ve öyle mutlu hissedeceksiniz ki... Yaşadıklarınızın sadece bir hayal değil gerçekten daha gerçek olduğunu anlayacaksınız. Şimdi özlemek daha bir dayanılır olacak. Kavuşma umudu daha da büyüyecek içinizde. Yokluğuyla başedebileceksiniz. Ne zaman sıkıntıyla dolsa içiniz, ruhunuzu onun yanına gönderebileceğinizi bileceksiniz. Mesafelere rağmen aşkı yaşatabilmenin yoludur bu. Ama aşkı yaşatmanın, başka herhangi bir duyguyu değil...

En ölümcül silah

Aşkın ehil olmayan ellerde ölümcül bir silaha dönüşebileceğini biliyor musunuz? Aşka yeteneği olmayan, aşkın ne olduğunu bilmeyen; ama, âşıkmış gibi yapıp insanların hayatlarına sorgusuz sualsiz dalan, sonra bir sabah hiçbir şey söylemeden darmadağın ettikleri o hayatlardan çıkan insanların geride nasıl bir enkaz bıraktıklarını biliyor musunuz? İşte bu yüzden aşk, dünyanın en ölümcül silahına dönüşebiliyor. Umutsuzluğun en yoğun olduğu dönemde aşk ve ölüm birlikte pençesine alıyor insanları. Ölme isteği çok yoğun olarak hissediliyor. Kişi, hayattan çok ölüme daha yakın duruyor.

Ne yazık ki, aşkı bir silaha dönüştürebilen insanların sayısı çok fazla. Yalancılar, aldatanlar, ikiyüzlüler bunların başında geliyor. Tercihlerimizi doğru kullanmadığımız zaman da bu insanlara silahlarını kullanma fırsatı veriyoruz. O zaman dikkatli olmalıyız. Peki ama nasıl?

Duygularını saklayanlar, kararsızlar, cesaretsizler, aşkı hafife alanlar, seksle aşkı karıştıranlar hep bu kategoride. Bir insanı tanımak zordur. Hatta kimisi öyle iyi rol yapar ki, kanmamak imkansızdır. Ama yine de sezgileriniz, yüreğiniz ve tabii ki aklınız size doğru yolu gösterecektir. Öncelikle söyledikleri birbirini tutmayanlardan uzak durun. En ufak zorlukta yıkılıp pes edenleri yanınıza bile yaklaştırmayın. Görüşlerinize saygı duymayanları, kendi dedikleri olacak diye diretenleri ve komplekslerini kıskançlık duygusunun altına gizleyenleri hayatınıza sokmayın.

Aşk dünyanın en güzel duygusu. Ama hiç kimsenin aşkı kullanarak başkasının hayatını zehir etmeye hakkı yok.

Siz, siz olun

Hayatınızda varolan şeyleri bir önem sırasına koysanız birinciliği ne alır? Ne olabilir vazgeçemediğiniz şey? İşiniz? Paranız? Sevgiliniz? Aileniz? Hangisi? Bu soruyu yanıtladıysanız ikincisi geliyor. Siz olmasaydınız bu sıraladıklarınızın ne önemi olurdu?

Hayatınızı nasıl yaşarsanız yaşayın, kime ya da nelere yer verirseniz verin her zaman öncelik kendinizin olmalı. Düşünün, hayatınızdaki her şey aslında sizi mutlu etmek için var. O halde kendinizi önemsemelisiniz. Ben, bencillikten söz etmiyorum. Aşırı egodan söz etmiyorum. Ben, insanın kendisine yeteri kadar önem vermediğini düşünüyorum sadece.

Kendiniz için yapacağınız her şey sizi mutlu edecek. Dolayısıyla bu mutluluk çevrenizdeki herkesi olumlu yönde etkileyecek. Sizin mutluluğunuz, onların da mutlu olmasını sağlayacak.

Her zaman siz olun, olmak istediğiniz kişi olun. Başka rollere bürünmeyin, başka insanların dayattığı hayatları yaşamayın. Çünkü sizin bir tek hayatınız var. Ve o size ait. Hayatınızı mutlu ya da mutsuz kılmak sizin elinizde. Hayat size acı olaylar yaşatsa bile geleceğe dair umudunuz hep olsun. Yapmak istediklerinizi yapın, hayallerinizi olanaklarınızın elverdiği ölçüde hayata geçirin. Tanrının size verdiği yaşama şansını, yine onun sunduğu nimetlerle süsleyin. Ve hayatınızda aşka her zaman; ama, her zaman yer verin. Geçmişteki kalp kırıklıklarını bir yana bırakın artık, hep ileriye, her zaman ileriye bakın. İnsan olmak böyle bir şey çünkü...

Yaşıyor musunuz?

Aşkı anlatabildiğimiz kadar insanız hepimiz. Aşkı yaşa-yabildiğimiz kadar ömrümüz var. Aşksız geçen günlerimiz ne kadar çoksa yaşamamışlığımız da o kadar çok. Ama korkuyo-ruz, korku titretiyor bizi, aşkla karşılaşmak, aşkı yaşamak ka-bus dolu uykulara neden oluyor.

Aşktan kaçışın mümkün olmadığını bir görebilsek, uyku-larda melekler eşlik edecek bize. Kendimizi tıkadığımız, hap-settiğimiz yalnızlıklardan bir kurtulabilsek, yaşamdaki her şe-yin bambaşka anlamlar taşıdığını anlayabileceğiz. İşte mutlu-luk da o zaman gelecek.

Aşkın korkulası bir şey olduğunu kim öğretmişse, kim aş-kın sadece acıdan, mutsuzluktan, hüzünden, gözyaşından ibaret olduğunu söylemişse lanet olsun ona! Kim şartlamışsa bizi aşka karşı koymak için, kim inanmıyorsa aşka, yatacak yer bulamasın iki dünyada da!

Aşkın olmadığı bir dünyayı yönetmek daha kolay geliyor bazılarına. Aşkın insana verdiği karşı koyma, başkaldırma gücünü istemiyorlar. "Buluşun, gezin, sevişin yeter" diyorlar.

İşlerine geliyor böylesi. Yüreği aşkla atan bir insanın yapabileceklerinden korkuyorlar. Biz de onların bu oyununa alet oluyoruz işte.

Bir sevgiliye dokunmak, aşkla dolu bir çift göze bakmak, heyecandan hafif terlemiş eli tutmak, nasıl güzel şeydir tanrım... Bu güzelliği başka ne yaşatabilir insana? Bu müthiş hazzı başka ne verebilir?

Alabileceğimiz tüm hazzı almalıyız yaşamdan. Bütün hazların kaynağıdır aşk. O halde kaçmak niye? Bu anlamsız kaçış sürdükçe, hayatımızın ne kadar sıradanlaştığının, ne kadar yaşanmaz olduğunun farkına varmalıyız artık. Bırakalım kendimizi aşkın kucağına. Bırakalım ki, "Çok şükür, yaşıyorum" diyebilelim.

Yoksun...

Şimdi yorgun yüreğim...
Bunca çabaya rağmen o mutluluk gülüşünü
yüzünde göremediğim için yorgun.
Cesaretsizliğinle, umursamazlığınla,
aşka burun kıvırmanla yorgun.
Bu yüzden daha fazla kaldıramayacak seni.
Daha fazla yaşayamayacak bu umutsuz aşkı.
Yüreğim seni bu aşkın en zayıf halkası seçti...
Güle güle...

Hayatı ıskalama lüksün yok senin

Bir aşk için yapabileceğin her şeyi yaptığına inanıyorsan ve buna rağmen hâlâ yalnızsan için rahat olsun. Giden zaten gitmeyi kafasına koymuştur ve yaptıkların onun dudağında hafif bir gülümseme yaratmaktan başka hiçbir işe yaramayacaktır. Sen kendini paralarken o her zaman bahaneler bulmaya hazırdır. Hani ağzınla kuş tutsan, "Bu kuşun kanadı neden beyaz değil?" diye bir soruyla bile karşılaşabilirsin.

İki ucu keskin bıçaktır bu işin. Yaptıklarınla değil yapmadıklarınla yargılanırsın her zaman. Bu mahkemede hafifletici sebepler yoktur. İyi halin cezanda indirim sağlamaz. Sen, "Ama senin için şunu yaptım" derken o, "Şunu yapmadın" diye cevap verecektir. Ve ne söylesen karşılığında mutlaka aklına hiç getirmediğin bir iddiayla karşılaşacaksındır.

Üzülme, sen aşkı yaşanması gerektiği gibi yaşadın. Özledin, içtin, ağladın, güldün, şarkılar söyledin, düşündün, şiirler yazdın. "Peki o ne yaptı?" deme. Herkes kendinden sorumludur aşkta. Sen aşkını doya doya yaşarken o kendine engeller koyuyorsa bu onun sorunu. Bir insan eksik yaşıyorsa ve bu eksikliği bildiği halde tamamlamak için uğraşmıyorsa sen ne yapabilirsin ki onun için? Senin hayatı ıskalama lüksün yok. Onun varsa, bırak o lüksü sonuna kadar yaşasın. Her zamanki gibi yaşayacaksın sen. "Acılara tutunarak" yaşamayı öğreneli çok oldu. Hem ne olmuş yani, yalnızlık o kadar da kötü bir şey değil. Sen mutluluğu hiçbir zaman bir tek kişiye bağlamadın ki... Epeydir eline almadığın kitaplar seni bekliyor. Kitap okurken de mutlu oluyorsun unuttun mu? Kentin hiç girmediğin sokaklarında gezip yeni yaşamlara tanık olmak da keyif verecek sana. Yine içeceksin rakını balığın yanında. Üstelik dilediğin kadar sarhoş olma özgürlüğü de cabası...

Sen yüreğinin sesini dinleyenlerdensin ve biliyorsun ki aslolan yürektir. Yürek sesini bilmeyenler, ya da bilip de duymayanlar acıtsa da içini unutma; yaşadığın sürece o yürek var olacak seninle birlikte. Sen yeter ki koru yüreğini ve yüreğinde taşıdığın sevda duygusunu. Elbet bitecek güneşe hasret günler. Ve o zaman kutuplarda yetişen cılız ve minik bitkiler değil, güneşin çiçekleri dolduracak yüreğini...

Buz tutar için...

O gidecek ve sen bakacaksın. Kimse olmayacak yanında, acını yalnız yaşayacaksın. Aşkı tek kişilik yaşamanın mevsimidir şimdi. Bahar da olsa yaz da, kış hüküm sürecektir sende. Buz tutacaksın... Herkesin buram buram terlediği güneşli bir günde üşümenin ne demek olduğunu öğreneceksin.

Tüm renkler, dönüş tarihinin belli olmadığı bir yolculuğa çıkmıştır. Baktığın her şey ya gri, ya siyahtır. Hayata dair hiçbir şey ilgi alanına girmez. Öylece bir köşede, sessizce, gözyaşlarını içine akıta akıta oturup durursun. Ne dostlarını görmek istersin, ne de söylenecek bir tek sözü bile duymayı.

'Neden ben?' diye bin kere soracaksın kendine. 'Hak etmedim bunu' diye yahıflanacaksın. Merak etme, her terk edilen hak etmediğini düşünmüştür. Hiçbir farkın yok onlardan; ama, sen, terk edildiğini de kabul etmiyorsundur. 'Neden gitti?' sorusu gelecek ardından. Bulduğun yanıtları beğenmeyip gidişine bir başka bahane arayacaksın. Hiçbir bahane gerçek nedeni anlatmayacak. Çünkü aslında başından beri gördüğün; ama, bir türlü kabullenemediğin o gerçeği bir kez dile getirirsen, zaten buz tutmuş bedenin, parça parça dağılacak. Bunu bildiğin için bahanelerin arkasına saklanacaksın.

Sevmemiştir seni. Sevmişse de, senin onu sevdiğin kadar sevmemiştir. Suçlayabilir misin onu? Sen sevdin diye sevmeli miydi seni? Şart mı bu? Değil elbette; ama, gel de bunu yüreğine anlat. Anlatamayacaksın. Yürek bunu kabul etmez çünkü. Sen, 'Seni benim kadar kimse sevemez' diye sayıklarken ya da 'Benim kıymetimi bilemedin' diye suçlarken onu, o, senin ne halde olduğunu bilmeden, bilse bile umursamadan, 'Her seçim bir vazgeçiştir ve her seçim bir başlangıçtır' sözünü kanıtlarcasına yeni bir menzile doğru yol almaya başlamıştır bile.

Senin seçiminse 'kış'ı yaşamaktır, o zaman yaşayacaksın. Hiçbir kış, yaşanmadan bitmez. Kışı atlayıp bahara, ondan sonra da yaza ulaşamazsın. Birçok kez donarak öleceğini düşünerek, gözyaşların buz kristallerine dönüşerek, soğuğun verdiği acıdan nefesin kesilerek, ılık bir rüzgârı, sarı sıcak güneşi düşleyerek dibine kadar, titreye titreye yaşayacaksın. Sonra bir gün pencereden güneşin girdiğini, yanaklarında donan gözyaşlarının eridiğini, içindeki titremenin hafiflediğini, renklerin gittikleri yerden döndüğünü, susturduğun tüm dostlarının yeniden konuşmaya başladığını göreceksin. Bir gülümseme yayılacak yüzüne, oturduğun o köşeden kalkacaksın ve baharın kokusunu içine çeke çeke, güneşin ve sıcağın keyfini çıkaracaksın... Bir başka 'kış'a kadar...

Ayrılıyoruz

Şimdi sen yoksun öyle mi? Dur bir dakika, tam anlaya-
madım galiba... Yani bir daha elini hiç tutamayacağım,
gözlerine bakamayacağım, her dokunduğumda içimde bir
yanardağı harekete geçiren ipek tenine dokunamayacağım
öyle mi? Hayır, bu bir şaka olmalı... Söyle bana, "Şaka" de
Allah aşkına...

Şunu yeniden tekrar etsene bana, beynim almıyor kusura
bakma. Bir içki koyayım kendime, ellerim titriyor, yatıştırır
mı ne dersin? İster misin sen de? Bir kadeh şarap iyi gelir. Şu
koltuğa oturayım. Tamam dinliyorum seni.

Demek beni seviyorsun; ama, gitmek zorundasın... De-
mek, bu aşk fazlasıyla yordu seni... Düşünmen gereken başka
şeyler de var demek... Yo yo, seni suçlamıyorum. Gözlerimi
kısmam öfkeden değil, dedim ya, ben algılamakta güçlük çe-
kiyorum. Bekle, birkaç yudum daha alayım şaraptan. Hayır
endişelenme, sarhoş olmayacağım. Zaten biz birlikteyken hiç
sarhoş oldum mu? Senin varlığın öyle tatlı bir sarhoşluk ve-
riyordu ki bana içkiye ihtiyacım yoktu...

Seni etkilemeye çalışmıyorum yanlış anlama, şimdi yeri geldi de o yüzden söylüyorum. Belli ki bir karar almışsın ve uygulayacaksın. Bana düşen sadece saygı duymak. Bu arada mutfakta senin sevdiğin kurabiyelerden var ister misin? Tamam sorun değil, ben yerim. Ayakta durma öyle, tamam gideceksin de otur biraz. Sen böyle ayakta konuşurken ben daha fazla algı zorluğu çekiyorum.

Belki ben aşkı senden biraz daha farklı yaşıyorum. Neyim var neyim yoksa aşkım için ortaya koyabiliyorum. Biliyor musun, bu laftan nefret ederim; ama, galiba sorun sende değil bende. Ne zaman sevsem başarısız oldum ben. Ne zaman aşkın koyuluğuna kaptırsam kendimi sonu hüsranla biti. Bu yüzden suçlamıyorum seni. Rahat ol lütfen.

Eşyalarını merak etme. Zaten hep iğreti gibi hissettin bu aşkta kendini. Baştan bunun farkındaydım da tedirginliğin geçer diye bekliyordum. O yüzden fazla eşyan yok bende. Birkaç parçayı ben arkandan yollarım. Sen şimdi eline yük etme. Hem gideceğin yere böyle eşyalarınla gitmen yakışık almaz.

Ben mi? Hayatın bana verdiği kaçıncı ders bu bilmiyorum; ama, sanırım aşkın peşinde koşmaya devam edeceğim. Elbette başaracağım bir gün. Umudumu kaybetmedim. Sen gittikten sonra epeydir el atmadığım kitaplarıma dalarım herhalde. Belki kısa bir tatil. Kafamı dinlerim. Neyse boşver. Haydi git sen. Ben de akşam sinemaya gideyim. Sahi bugünlerde iyi film var mı? Şöyle sonu mutlu biten bir aşk filmi?

Say ki... Gelmedin...

Ben sevdamı maviye yükleyip gönderdim sana. Ne varsa kendime dair çıkardım hepsini ve sundum ellerine. Beynimde, benliğimde, yüreğimde gizli hiçbir şey kalmasın, öylece bil beni diye. Öfkeden, acıdan, şüpheden arındım, sana koştum. Seni bulurum sandım, uzaklıkları aştım. Adını haykırdım dağlara, yankılanan sesimi bir ben duydum. Çocuk gibi kayboldum koca koca kentlerin ortasında, bir başıma yabancı yüzlere baktım. Seni çağırdım gelesin diye, beni kayıp iklimlerden alıp bahara taşıyasın diye... Gelmedin...

Gülüşlerim yüzümde dondu, sensizlik gözyaşı olup aktı, yüreğim ıslandı. Yıldızlara baktım, biri sensindir diye, orada da yoktun. Oysa sana koşuyordum ben. İçimde deli bir özlem, anlatılmaz bir aşk hasretiyle sana, koşuyordum. Nerede olduğunu bilmiyordum; ama, seni bulacağıma dair umudumu büyütüyordum içimde. Böyle bir sevdayı duyup da gelmemen mümkün müydü? Ben anlatamasam sana, mavilerim anlatacaktı. Denize bakacaktın ben, gökyüzünde ben. Hangi kuş konsa pencerene 'aşk, aşk' ötecekti. Duyacaktın, yüreğin coşmuş bir ırmak gibi bana akacaktı, yüreğini dinleyip bana gelecektin... Gelmedin...

Şarkılar adadım sana, içinde hep sen vardın. Seni yaşatmaya, sensizliğinde de yaşamaya and içmiştim, yeminimi anlatan şarkıları adadım. Her duyan hayran kaldı bu sevdaya, bir sen duymadın. 'Duygu mesafe tanımaz' dedim, taa uzaklara, bilinmez yollara haberciler saldım. Şarkılarımı ezberlettim seni bulunca söylesinler diye. Sana ulaşacağını bilsem bir mektuba posta pulu olmaya da razıydım; ama, nasıl bir kaçış ki bu, ne bir iz bıraktın ne de bir haber. Yine de gecenin ortasında, bir gün kapım çalar diye hep tetikte yattım. Uykuları uyunmaz kıldım kendime, rüyaları görülmez. Her tıkırtıda sıçradım, geleni sen sandım. Sensizlik acısı yaşatır oldu beni. Yediğim içtiğim özlem, sağ yanım hüzün, solumda yalnızlık. Sen gelecektin, tükenecekti hepsi. Ben yeniden ve hırsla sarılacaktım hayata... Gelmedin...

Şimdi bunca zaman sonra, seni yüreğimde hiç kimsenin dokunamayacağı bir yere saklamışken ve sensiz de olsa hayatın acımasız çarklarında tek başıma ayakta durmaya çalışırken çıkıyorsun karşıma öyle mi? Çıkma... Kal orada... Gelişinin önemi yok artık. Ben yine öyle kabul ediyorum. Yani hiç gelmedin...

Sen hep mavi kal

Elimde yalnızlık var. Gecelerin soğukluğu, şarkıların hüznü. Sen yoksun ya artık, beni de yok bilsin dünya. Varlığım sensiz bu kadar anlamsızken, hayata dair en ufak bir katkım olmayacak.

Böylesine severken gitmen akıl alacak şey değil, bu yüzden çalışmıyor beynim. Sorular öylece cevapsız bakıyor bana, oysa tutkundum sana... Gülüşlerimin sebebi, kelebeklerimin kraliçesiydin. Şimdi içimdeki bütün kelebekler sustu, çırpmıyor kanatlarını. Bir anlayabilsem, ah bir anlayabilsem...

Bu kenti seninle tanıdım ben, seninle yaşadım. Şimdi İstanbul'u böyle sessiz görmek, böyle hüzünlü görmek, böyle bomboş görmek acımı daha da katlıyor. Bilsen, kalbim nasıl da ağrıyor... Boğaz'ın bir yakasından karşıdaki ışıklara bakıyorum, ne ay var ne yıldızlar... Bir tepeden diğerine, gidip geliyor gözlerim, belki de senin ışığını arıyorum.

Boğaz, mutedil dalgalı; ama, yüreğimde kopan fırtına, aşk gemilerini batırıyor. Özlem hiç böylesine acı vermemişti bana. Seni özlemek tüketiyor, yılıyorum. Kaçıp gidesim var

İstanbul'dan. Kaçayım da menzilim yok ki... Nereye ereceğini bilmeyen serseri bir kurşun gibi, dönüp dolaşıp kendimi vuracağım sonunda.

Yağmur başlar birazdan, ben İstanbul yağmurunu bir tek seninleyken sevdim. Ama şimdi bir tek damla bile düşse üzerime, gözyaşlarım da akacak yağmurla birlikte, bunu istemiyorum. Sessizlik içimde büyüyor, bir uğultu oluyor, kulaklarımı kapıyorum. Ve ilk kez itiraf ediyorum, ben korkuyorum...

Şimdi sen kim bilir hangi kıyıda, kimin türküsünü söylüyorsun. Kime açıyorsun yüreğinin deriniklerini. Ve kimin için topluyorsun deniz yıldızlarını? Yine de aldırma sen bana. Hayatta öğreneceğim çok şey varmış demek ki, öğreniyorum. Bunlardan biri de sensizliğe dayanmakmış, dayanıyorum. Benim de gemimin yelkenlerini şişirecek bir rüzgâr çıkacak bir gün. Pupa yelken, yol alacağım aşk denizlerinde.

Sevmek böyle bir şey işte, aşk böyle bir şey. Gittiysen gittin, sana kızamıyorum. Benim isyanım kendime. Mutlu ol ay yüzlüm. Ve mutlu et sevdalını. Ben yapamadıysam da aşkını yüzyıllara taşıyacak bir kahraman bulursun elbette. Sana maviyi adamıştım ya... Hep mavi kal sevdiğim... Her zaman mavi...

Bugünlerde...

Kendimden başka kimseye faydam yok bugünlerde. Kendime de faydam yok ya, nefes alış verişimi bir fayda olarak gördüğümden söylüyorum bunu. Geçmişe dair ne kadar hayal kırıklığı, aşk yarası, acı, hüzün ve hata varsa hepsi bir bir düşüyor aklıma. Ne gerek varsa şimdi...

Yüzleşme mi demeli yoksa bir hesaplaşma mı adını da tam olarak koyabilmiş değilim içinde bulunduğum durumun. Ya ne kadar sürer? Hiçbir fikrim yok. Hiç istemediğim halde kendime mi küsüyorum ben, yoksa aşka mı? Oysa aşk, hiç yalnız bırakmadı beni...

Sen bunca ay hiç sevmediğin, hani gelmese "Bu yıl neden gelmedi?" diye sormayacağın ve en berbat mevsim diye tanımladığın kışın bitmesini, baharın gelmesini bekle, sonra ortalığın cıvıl cıvıl olduğu, umudun çiçek çiçek açtığı, yüreklerin uykudan uyandığı, gözlerin parıl parıl parladığı bir zamanda küslük yarat kendine. Olacak şey değil. Her şeyden önce bu bana uygun bir şey değil. Bu yüzden hayret ediyorum ya kendime...

Kapatsam kendimi kapıların arkasına, düşünmeye bırak-sam, günlerce tüm dünyayla iletişimimi kesip taşları yerine koysam dönebilir miyim tekrar bahara? Peki ya zaman? Acı-mayacak mıyım geçip giden zamana? Ben ki, yarınsız zaman-ların adamı, ben ki 'an'ların peşinde koşan âşık, bir dakikamı bile boş geçirmemeye çabalarken böylesine bir kapanmayı başarabilecek miyim?

Güneş iyiden iyiye ısıtmaya başladı bu kenti; ama, benim içimde hâlâ bir ürperti var. Anlaşılan kış benim içimde hü-küm sürmekte. Başımda gri bir bulut, bir kar indiriyor, bir yağmur. İnsanın geçmişinden kaçması saçmalık; ama, böyle-sine bir anı taarruzuna da hazırlıklı değilmişim demek ki. İşin garip yanı, iyiye dair anılar terhis olmuş, sadece kötü anılar silah altında. Hücum üzerine hücum, siperlerim dağı-lıyor. Her zaman savunduğum, "Yaptım; ama, pişman deği-lim, asıl yapmasaydım pişman olurdum" dediği hatalarım bi-le bana karşı cephe almış.

Ruhumu yenilemeliyim çaresi yok. Aşkla bağlı olduğum, her köşesinden ayrı bir keyif aldığım İstanbul boğuyor beni. Işıl Özgentürk yazmıştı, "Küçük sevinçler bulmalıyım..." Yü-reğim nereye derse oraya gitmeliyim... Yenilenmek için...

Sen git aşk bana kalsın

Her gidişine ayrı anlam yüklüyorum, yapma tanrı aşkına! Ya hep kal benimle söz etme gidişlerden, ya da silinsin ismin de cismin de... Oynama benimle, dengemi bozuyorsun. Aşkı yaşayacak yürek bırakmıyorsun insanda, böyle değildin sen...

Bittiyse heyecanın bileyim ben de. "Seni çok seviyorum" diye başlayan ve "Ama.." ile devam eden cümleleri duymaktan bıktım. Seviyorsan seviyorsundur, aması olmaz bu işin. Üstelik bir cümlede "Ama" varsa bir önceki yargının hiçbir hükmü yoktur artık. "Seni çok seviyorum; ama, birlikte olmamız imkansız..." İmkansız diyebiliyorsan eğer sevmiyorsun demektir. Bahanelerin arkasına sığınma.

İnsanların hayatına sorgusuz sualsiz girip, darmadağın eden, sonra da hiçbir şey söylemeden gitmeye çalışanlardan nefret ediyorum. Böyle misin sen de? Gerçekten gitmek mi istiyorsun? Yürekli ol biraz, haydi konuş. Söyle gitmek istediğini. İki çift sözü hak etmedi mi bu aşk? Yaşanılan bunca şeye hiç mi saygın yok?

Ah ben, niye yanılıyorum hep? Niye tam "İşte bu" dediklerim sömürüyor aşkımı? Biraz daha mı katı olmalıyım? Biraz daha mı kapalı tutmalıyım kapılarımı? Bazen bu dünyadan olmadığımı düşünüyorum. Bu devrin adamı değilim. Oyun çeviremiyorum, hesap yapamıyorum. Bana ait olmayan kişiliklere bürünüp bir plan dahilinde hareket edemiyorum. İnsanız biliyorum, hepimizin zaafları var, hepimiz egolarımıza boyun eğebiliyoruz. İyi de hep beni mi bulacak bunlar?

Hiçbir kaygıya yer vermeden, hiçbir hesabı düşünmeden açsaydın bana yüreğini işte o zaman görürdün bir aşkın nasıl efsaneye dönüşebileceğini. Sen gözlerini kapıyorsun, bir sen varsın, başka hiç kimseye bakmıyorsun. Her şey senin çevrende şekillenmeli, her şey sana göre düzenlenmeli. Beceremiyorum, kusura bakma.

Aşk, tam teslimiyet ister. Kendini aşkın kollarına ya bırakırsın ya da bırakmazsın. "Bir yanım dışarıda kalsın" dediğin noktada aşkı boğarsın. Yok edersin o güzelim duyguyu. Bu yüzden hep cesurların işidir aşk. Kaçışları, yalanları, aptalca oyunları kabul etmez. Aşk; saf, duru insanları sever. Kafasında binbir tilki dönenler aşkı yaşayamaz. İsteseler de yaşayamaz. Arınmalısın. En saf, en duru haline dönmelisin ki yaşayabilesin aşkı. Kısacası sevgilim, sana göre değil bu iş. Senin yolun açık olsun, bırak aşk bana kalsın...

Ellerim burada

Sen yoktun, geceyi bin yıldıza bölerdim. Uykuyu kendime haram ederdim. Yorgun sabahlara güneşsiz yarınlara uyanırdı her gün yüreğim. Kime sorsam bilmezdi seni. Öfkem onlara değil hep kendimeydi. Ağlamaksa, içe akıtılan gözyaşı, kimse görmezdi...

Her yağmur yağışında bu kente, damla damla düşerdi özlem. Islanmak değildi beni korkutan, o damlalarda boğulmaktı. Yokluğun beni boğardı. Öyle zordu ki dayanmak, sensiz geçen her dakika yüreğime çözülmeyecek bir düğüm atardı. Sıkılırdım, bunalırdım da, isyan bile edemezdim, sesim çıkmazdı.

Beni umursar mıydın, böylesine acı çekmemi anlar mıydın bilmiyorum. Yoktun çünkü, olsaydın ben böylesine acı çekmezdim ki... Olsaydın, özlemek denen şeyin bu kadar zor olduğunu bilmezdim ki... Ah sevgilim neden yanımda değilsin ki...

Sahi nasıl gitmiştin sen? Niye gitmiştin? Yıldızlara yazdığımız sevda bitmiş miydi? Maviye yüklediğimiz aşk tükenmiş miydi? Kimdi seni çağıran yanına? Bir bulsam cevaplarını bu soruların... Çaresizlik diye bir şey varmış hayatta ve ben bunu yeni öğreniyorum.

Bazen kendimle savaşıyorum, seni sevmekten kurtulmalıyım diye. Öylesine karmaşık bir denklem ki bu... Seni sevmekten kurtulamazsam, benliğimi yitireceğim. Ben, ben olmaktan çıkacağım biliyorum. Kurtulmayı başarırsam bu kez yüreğimdeki boşluğu nasıl dolduracağım peki?

Sensizliği yaşamaya alışmaktan da korkuyorum. Sensiz olmaya alıştıktan sonra, bir gün çıkıp gelsen, seninle yeniden birlikte olmayı beceremem diye korkuyorum. Bir çözümü olmalı bu işin. Var biliyorum; ama, ben bulamıyorum.

Sevgilim gitmeseydin, en tutkulu aşkın, en koyu sevdanın, en güzel masalın kahramanı olacaktın. Ben seni sevecektim, hiç bitmeyen bir aşkla. Hep sana bakacaktım, hiç yorulmadan. Hep sana dokunacaktım hiç bıkmadan.

Ayaktayım ve yaşıyorum. Özleme, çaresizliğe, vefasızlığa, ve tek başına taşıdığım bu aşka rağmen yaşıyorum. Geleceğe dair umudumu yitirmedim henüz. Şimdi her neredeysen başını gökyüzüne çevir ve en parlak yıldıza bak... İşte oradayım ben, seni izliyorum. Hâlâ yüreğindeysem, hâlâ bana dair özlem varsa içinde ve hâlâ aşkı yaşatıyorsan içinde... Sevgilim, orada durma, bak ellerim burada...

Test etme aşkımı

"Aşkı, yalnız aşkı anlat" diyorsun bana, anlatıyorum, dinlemiyorsun. Aşka gözlerini kapayıp "Kalmadı böyle aşklar" diyorsun. Sorma o zaman, inanmadığın şeylerin peşinden koşma, yazık. Aşkımın ne kanıta ihtiyacı var ne kendini göstermeye. Benim yaşadığım düpedüz aşk, ya senin? Hangimiz daha cesuruz sevgilim? Hangimiz göze alabiliyoruz aşkımız için her şeyi? Sen orada, öylece bekliyorsun. İstiyorsun ki hep ben atayım adımları. Hep ben koşayım sana. Ya sonra? Ulaştığımda sana yeterli olacak mı? Başka ne isteyeceksin?

Test etme aşkımı, buna ihtiyacın yok. Gözlerime baksan, bir baksan, her şeyi unutarak baksan; aşkı göreceksin orada. Oysa sen sıyrılamıyorsun kaygılarından. Soyutlayamıyorsun kendini. "Haydi gel, bulutların üzerine çıkaracağım seni" demiyorum ki ben... Gerçekleşmesi mümkün olmayan hayaller sunmuyorum ki sana. Ben ne kadar gerçeksem; aşkım da o kadar gerçek. Hatta bazen aşkımın beni aştığını bile düşünüyorum. Çünkü her yerde seni yaşıyorum, her zaman seni taşıyorum yüreğimde.

"Seni seviyorum" sözünü öylesine, iş olsun diye, ruhunu okşamak için kullanan insanlardan değilim ben. Sevdiğimi söylüyorsam bunu gerçekten hissettiğim için söylüyorumdur. Dünyanın en dürüst insanı olmasam da konu aşk olunca kendimi de seni de kandıramam. Biliyor musun, aslında inanmaman senin sorunun. Daha önce yaşadığın mutsuz ve hüsran dolu ilişkilerin sorumlusu ben değilim. Onların günahını ben taşıyamam.

Belki de kendinle bırakmalıyım seni ne dersin? Uzun uzun düşünmelisin neler hissettiğini. Ama sevgilim, aşk öyle uzun uzun düşünülecek bir şey değil. Âşıksan âşıksındır, bir an yeter aşk için. Sadece bir an... O anın büyüsüdür aşkı ölümsüz kılan. Sen bulamamışsan, yakalayamamışsan o anı ne kadar düşünürsen düşün anlayamazsın aşka düşüp düşmediğini. Yüreğin anlatır sana zaten. Âşıksan farklı atar yüreğin, anlarsın bunu.

Ne git diyeceğim sana, ne de kal. Benim aşkımın, benim için atacak bir yüreğe ihtiyacı var. Ya aç yüreğini büyüsün aşk içinde, ya da bulaşma aşka hiçbir zaman.

Bu geceler

Kim aldı yıldızları? Ya ay nerede? Neden karanlık her yer? Bu yağmur hiç durmayacak mı? Hem neden yere düşen damlaların sesi duyulmuyor? Niye kimse konuşmuyor? Tanrım, çıldıracağım. Sensizlik beynimi yiyor. Üşüyorum, titriyorum. Gözlerim kan çanağı. Uykular haram, geceler bitmek bilmiyor. Bir o yana bir bu yana adımlıyorum evi. Bir mahkumun avluda volta atması gibi. Sensizliğin bitmesini bekliyorum. Bitmiyor lanet olsun! İçim tükeniyor meleğim, yok oluyorum yavaş yavaş. Yüreğimin atışları iyice yavaşladı, kanım donuyor damarlarımda. Dayanma gücüm kalmadı.

Bu kadar zor muydu sensizlik? Bu kadar dayanılmaz mıydı? Ah sevgilim, burada olmanı o kadar isterdim ki... Sokulsaydın bana, ısıtsaydın içimi, durdursaydın titrememi. Alıp koysaydın yıldızları yerine, aydınlatsaydın gecemi.

Kendimi çok yalnız hissediyorum. Dostlarımla birlikteyken onların da tadını kaçırıyorum. Bu yüzden kimseyle görüşmüyorum sen yokken. Kapanıyorum içime. Bu çok kötü bir şey, çok...

Her şarkı hüzün dolu sensiz gecelerde. Her şarkı özlem kokuyor. Küstüm şarkılara bu yüzden. Dinledikçe içimden bir şeyler kopuyor, ağlama duygusunu atamıyorum. Sessizliğe gömüyorum kendimi çaresiz.

Bu zoraki ayrılığın bittiği gün hepsi geçecek biliyorum. Yeniden seninle olmanın hazzını yaşayacağım. Tüm olumsuzlukları, hüzünleri, hasretleri silip atacağım. Yenileneceğim, yeniden doğacağım. Öyle bir sarılacağım ki sana, ayıramayacak kimse bizi. Kavuşmanın tüm coşkusunu yaşayacağım. Gülüşler gelip yerleşecek yüzüme, yüreğimdeki kuşlar havalanacak, onlarla birlikte ben de uçacağım.

Zaten uzun sürdü kış, gel de bitir bu ayazı. Güneş doğsun üzerimize, dağılsın gri bulutlar. Bahar dallarıyla bezensin etrafımız. Yeşile hasret herkes bizim sayemizde yaşasın baharı. Onlar da doğanın uyanışına tanık olsun. Bekliyorum sevgilim, bıraktığın yerde, bıraktığın gibi. Aşk dolu, umut dolu, tutku dolu. Bekliyorum geleceğin anı. Duy sesimi...

Delirtme beni

Senin yokluğun delirtiyor beni, karar verdim delirtiyor. Daha önce yokluğunda yaşadığım şeylerin adını bir türlü koyamıyordum. Şimdi biliyorum, deliriyorum. Sen yokken asla normal değilim.

Öyle böyle değil, azılı bir deli oluyorum üstelik. Çatacak yer arıyorum öncelikle. Biri bir şey söylesin de bir tartışma çıksın, sonra ben onun kafasına bir şey geçireyim, yerlere düşelim, toz toprak içinde yuvarlanalım, kaşımız, dudağımız patlayana kadar yumruklaşalım. Canım yanarsa ancak, kendime gelirim diye düşünüyorum.

İnan bana, sen yokken yapabileceklerimden ben bile korkuyorum. Kendi kendime konuşuyorum biliyor musun? Duvara bakıp bir şeyle, söylüyorum, gülüyorum, alınıyorum, surat asıyorum, dudak büküyorum. Sanki karşımda biri varmış gibi anlatıp duruyorum. Hatta kendi kendime konuşmaktan yorulup mola bile veriyorum.

Mesela yemek yemek gelmiyor içimden. Önüme konan tabaktaki yemekle oyunlar oynuyorum. Kumdan kale yapar gibi şekiller veriyorum yemeğe. Yemeğin ortasında kahve içer mi insan? Ben içiyorum. Sonra birden masadan kalkıp nereye gittiğimi bilmeden yürümeye başlıyorum. Bacaklarım ağrıyıncaya kadar yürüyorum. Kendimi, bilmediğim bir semtte, hiç tanımadığım insanların arasında buluyorum. "Neredeyim, ne yapıyorum?" soruları yanıtsız kalıyor. Yüzler hiçbir şey ifade etmiyor. Dengesiz hareketlerime alaylı alaylı bakanlara aldırmıyorum. Hiçbiri umurumda değil. Ne düşünürlerse düşünsünler. Beni bir tek sen ve senin yokluğun ilgilendiriyor.

Gidip adaklar mı adasam gelmen için? Mumlar mı yaksam? Dualar mı etsem günler boyunca? Yalvarsam mı tanrıya? Ah sevgilim, delirtme beni artık. Buna dayanmak zor, çok zor. Ben her yerde ve hep seninle olmak istiyorum. Yokluğuna dayanmanın mümkünü yok, anla artık. Bir an bile ayrılma yanımdan. Bırak her şeyi bir kenara, bir akşamüstü, bir daha hiç gitmemek üzere gel bana. Bu deliliğin yükü ağır, taşıyamıyorum. Sadece seni, her zaman büyük bir aşkla seveceğime inan. Sıyrıl kaygılarından, bir akşamüstü gel...

Eğreti aşk

Bir ayağın hep dışarıdaydı, bir gün gideceğini biliyordum. Bile bile yaşıyordum bu aşkı, çünkü seni hiçbir şarta bağlı olmadan seviyordum. Ne bir umut bekliyordum senden ne de sonsuza kadar benimle kalmanı. Mümkün değildi, bu aşkın uzun sürmesi ikimizi de yaralayacaktı.

Başka coğrafyaların, başka iklimlerin, başka kültürlerin çocuklarıydık. Bizi biz yapan özelliklerimiz o kadar farklıydı ki, bir filmi tartışırken bile büyük kavgalar çıkardı aramızda. Kişiliklerimiz değişemezdi, değiştirmeye de kalkmadık zaten. İkimizden birinin değişmesi, aşkımızın daha baştan sona ermesi demekti. Farklılıklarımızla vardık biz, ve bizi birbirimize çeken şey de o farklılıklardı zaten.

Yine de ani oldu gidişin, kabul etmeliyim. Bildiğim halde şaşkınım, ne yapayım bu da içimdeki senin henüz yok olmadığındandır. Zamana ihtiyacım var. Anıları, senli geceleri silmek pek kolay değil. Bir yandan da huzurluyum biliyor musun? Çünkü yaşayabileceğimiz her şeyi yaşadık seninle. Fazlasını istemek bu aşka nankörlük etmek olurdu.

Ayrılık konuşmasını yaptığımız gece gözlerin dolu doluyken ve şarap kadehini elinde çevirirken söylediğin "Aşkın yetmediği bir yer varmış demek ki, acı oldu; ama, öğrendim" cümlesi beynimde yankılanıyor hâlâ. Bunca aşkı yaşamış ve bunca aşka tanıklık etmiş ben bile yeni öğrendim bunu. Aşk yetmiyormuş, anladım.

Şimdi daha farklı seviyorum seni. Hayır, dost falan olamayız mümkünü yok. Ne ben sana yaşadığım aşkları anlatabilirim ne de sen bana umutsuzluklarını. Biz paylaşamayız dertlerimizi. İstemeyiz bunu. Hatta oturup konuşmak için bile biraraya gelemeyiz. İçimizdeki bu yarım kalmışlık zorlar bizi, kendimizi yine hüzün dolu bir sevişmenin içinde buluveririz. Sonra var olan sevgimizi de tüketmeye başlarız. En iyisi hiç görüşmemek. Görüşmesek de yüreğimizin bir yeri hep birbirimize ait olacak, çaresi yok. Kaçamayacağız bundan. Kimse kimseyi terk etmiyor, biz bir ilişkiyi bitiriyoruz. Aşk mı? İşte ona "Bitti" demek bizim harcımız değil. Aşkı bitirmeye yetmiyor gücümüz. Aşk bir yerlerde boynu bükük bir şekilde bize bakıyor.

Bu sevdayı yaşatacağım

Şimdi sen gideceksin ve ben arkandan bakakalacağım. Dur diyemeyeceğim, sesim çıkmayacak. Susuşlarımda saklı kalacak duygularım ne kötü... Söz geçiremeyeceğim gözyaşlarıma, akacak. Saklayacağım görmeyesin diye, beceremeyeceğim. "Ağlama" diyeceksin bana, seni dinlemeyeceğim. İçimde biriken ne varsa gözlerimden taşacak dışarı. Dokunmak isteyeceksin, başımı geri çekeceğim öfkeyle. Kızgınım gidişine çünkü, öfkem bir dağ gibi büyük. Ne varsa hayata dair alıp götürüyorsun benden, farkında değilsin. Ya da farkındasın; ama, değilmiş gibi davranıyorsun. Sen kendi yolunu çiziyorsun şimdi ve doğru bildiğini yapıyorsun. Bense binlerce yanlışın ortasında tek başımayım.

Oysa beklediğim sevgiliydin sen. Yorgun günlerden damıtılmış, kimliksiz sevdalardan süzülmüş aşkımın tek sahibi. Sanki seni aramıştım yıllarca da, ararken aşk niyetine yabancı kollarda uyumuştum. Bu yüzden kimse kandırmadı beni, dindirmedi aşka susamışlığımı. Hep eksikti hep yarım. Ne yazık ki "Bu kez tamam" dediğimde de yarım kaldığını görüyorum. Belki de sevmeyi beceremiyorum ben.

Öyle ya, deli sevdalar bana göre değil belki de. Dümdüz, heyecansız, içimdeki kuşlar kanat çırpmadan ve tutkuyu kanımda hissetmeden yaşamalıyım aşkı. Buna aşk denirse tabii... Bu yarım kalmışlık duygusu yok olur mu o zaman?

Peki sen biliyor musun bu acıya katlanmanın ilacını? Bu yürek sancısını ne dindirecek? Bu geceler nasıl geçecek? Söyle yâr, içimi kor gibi yakan bu ateş nasıl sönecek?

Acelen var biliyorum. Gideceksin, yaşanmamış zamanları da beraberinde götüreceksin. Bunu hiç istemiyorum. Ne berbat bir duygu bu... İstemediğim bir şeyi yaşıyorum ve buna engel olamıyorum. Benden bağımsız gelişiyor her şey. Çarpmanın etkisiz elemanı gibiyim. Ya da bir savaş filminin daha ilk karesinde atılan ilk kurşunla düşüp ölen ve bir daha da hiç görünmeyen figüran...

Haydi git, bu yol senin yolun. Dilediğince özgür at adımlarını. Kendin için iyi olanı yapıyorsun ya ne önemi var gerisinin. Yaşadığımız kısa günlerin anısına sığınır, atlatmaya çalışırım bu acıyı. Sensiz olmaktan daha kötü ne olabilir bu hayatta ki? Bir insanın başına en kötü şey gelmişse başka hiçbir şeyden korkmuyor. Bir tek seni kaybetmekten korkuyordum, onu da yaşadım zaten. Haydi git, merak etme, yaşayacağım. Sensiz olsam da bu sevdayı yaşatacağım...

O yarın hiç gelmez

Bekleyişlere yüklemişsen aşkını, senin için en tanıdık sözcük 'yarın'dır... Aslında 'o' yoktur ve senin de beklemekten başka çaren yoktur. Bu yüzden yarın senin için hiç bitmeyen bir umuttur. O olmadan geçirdiğin hiçbir gün yaşanmış sayılmaz. Yaşamadığın günler eklendikçe birbirine, yarına olan özlemin daha da artar. Her gece gözlerini 'yarın olsun' diye kaparsın, her gece o günü değil yarını düşünerek uyursun. Uyuyabilirsen tabii...

Gün ışığı varken daha çabuk geçer zaman. Gündüzdür, bir uğraşın vardır, 'o ve yarın' yine aklındadır; ama, yolların, sokakların kalabalığında daha az hissedersin yalnızlığını. Ama gece... Kahrolası gece... Bir çöktü mü kentin üzerine geçmek bilmez saatler de seninledir artık. Ne yapsan olmaz, ne yapsan tüketemezsin dakikaları. Oysa senin istediğin bu gecenin de bir an önce bitmesi ve 'yarın' olmasıdır. Bugün yoktu ya 'o', belki yarın olacaktır. Günlerdir beklediğin telefon belki 'yarın' gelecektir. Aylardır hasret kaldığın yüzünü belki 'yarın' göreceksindir.

Kadehlere sığınarak ve kendini sarhoşluğun kollarına bırakarak bitirmek istersin geceyi. Yapamazsın çünkü içki seni uykuya değil yine 'yarın'lı düşüncelere taşır. İki satır kitap okuyamazsın. Sözcükler çoktan anlamını yitirmiştir, anlamazsın. Belki bir-iki şarkı daha çekilir kılar geceyi dersin; ama, dinlediğin her şarkı yine 'o'nu anlatır sana... Umudun vardır ya içinde 'yarın'a dair, bir tek ona sarılırsın. Yüzünde beliren gülümsemeyle kaparsın gözlerini. Zaten ne kalmıştır ki şurada 'yarın' olmasına...

Sabahın ilk ışıkları yüzüne çarpar çarpmaz açarsın gözlerini. Heyecanla kalkarsın yataktan. 'Yarın' olmuştur ya, geceki sıkıntıdan eser kalmamıştır. Telefonlarını kontrol edersin, arayan, not bırakan var mı diye... Yoktur... Kapıyı dinlersin gelen var mı diye... Yoktur... Yine yalnızsındır işte ve bu duygu bir bıçak gibi keser yüreğini... İnce ince bir sızı hissetmeye başlarsın, tıpkı dün sabah hissettiğin gibi... 'Yarın' bugün olmuştur ve senin önünde yine sadece 'yarın' olmasını beklemekle geçecek bir gün daha vardır. Daha kaç gün geçecektir 'yarın'ı bekleyerek bilinmez... Daha kaç gün geçecektir yaşanmadan bilinmez...

Bekleyişlere yüklemişsen aşkını ve 'yarın'ı bekleyerek tüketiyorsan zamanını, bekleme... O yarın hiç gelmez...

Bari sen beni
kandırma bahar

Lanet bir kış işte. Sevmem bu mevsimi. Ben sarı sıcak yazların insanıyım. Güneş bir çıktı mı bir daha hiç kaybolmamalı geceye kadar. İstemem üşüten yağmurları. Bahar yağmuru, yaz yağmuru dururken insanın içini titreten, soğukta düşen damlalar keyif vermez bana. Bu kış daha bir çekilmez oldu benim için. Yüreğimdeki ayaz mı bunun sebebi?

Oysa daha geçen gün güneşi görünce fora edivermiştim kabanı çizmeyi. Kendimi bırakınca güneşin kollarına unutuvermiştim her şeyi. Nasıl da güzeldi... Başımı göğe çevirip o sonsuz maviliğe baktığımda içimi kaplayan sevincin tarifi mümkün değildi. Özlemiştim, çok özlemiştim. Oysa mevsim kıştı. Ağaçlarda bir tek yeşil yaprak yoktu; ama, ben ne de çabuk kaptırmıştım kendimi bahar havasına...

Çok sürmedi sevincim. Önce gri bir bulut geldi kapadı güneşin önünü. Yüzümdeki gülümseme donup kaldı birden. Yine de kaybetmedim umudumu. Az sonra bu bulut gidecek, o güzelim güneş sıcak yüzünü yeniden gösterecek ve ben gülmeye devam edecektim. Bekledim... Bekleyişin sonunda beklenenin her zaman gelmeyeceğini bilecek kadar yaşamışlığım vardı oysa.

O küçük gri bulut kısa sürede nasıl da büyüdü... Rengi siyaha döndüğünde başıma gelecekleri anlamıştım; ama, artık çok geçti. Bir kış mevsimine göre neredeyse çırılçıplak denecek şekilde yakalanmıştım işte. Bir anda çıkan soğuk rüzgâr, yapraksız ağaçların dallarını sallarken, yüreğimdeki ayazın geri dönmesi de fazla uzun sürmedi. Ben görmek istemesem de, gerçek ayan beyan ortadaydı, bahara daha çok vardı...

Bir gök gürlemesinin ardından boşalan yağmur, sırılsıklam ederken korunmasız bedenimi, kendimle savaşmaya başlamıştım ben de. Mevsimi gelmeden güneşe aldanmak, bir sıcak gülüşün peşinden koşup sonra da duvara toslamaya benziyordu. Kimseyi suçlamadım çünkü ben yoldan gönüllü çıkmıştım. Görmek istediklerimi görmüş, gerçekleri gözardı etmiştim.

Ama inanmaya ihtiyacım vardı. İnsanlardan vazgeçtim hiç olmazsa bahar beni kandırmamalıydı. Çaresiz baharın geleceği güne kadar sayılacak günler. Bir acının yürekte küllenmesini beklemek gibi beklenecek kışın bitmesi. Tükendiğinde kış günleri, güneşli günlere kavuşacağım. Ve bir daha asla yalancı baharlara kanmayacağım...

...ve kadın

Bir kadınla birlikteyken unutacaksın dünyayı.
Sadece ona ait olacaksın. Ancak o zaman
kadın da sana ait olduğunu hissedebilir.
Ve ancak o zaman, kendisini sana ait hisseden
bir kadının, dünyanı tamamen
değiştirebileceğini anlayacaksın.
Bir kadınla yürek yüreğe ten tene olmanın
verdiği mutluluğu ancak o zaman tadacaksın...

Kadınlar ve biz

Bir kadın, çocuktur aslında. Çocuk gibi davranmayı sever. Erkeğin kendisine bir çocuğa gösterdiği şefkati göstermesini de ister. Bir çocuğu okşar gibi incitmekten korkarak okşamalıdır erkek kadını. Ama hiçbir kadın çocuk muamelesi görmek istemez. Söylediği şeyler çocukça da olsa dinlenilmesini, dikkate alınmasını ister. Yani bir kadının çocukluk yapmasına izin vereceksiniz; ama, asla onu bir çocuk olarak görmeyeceksiniz.

Bir kadın güçlüdür aslında. Hatta erkeklerden çok daha güçlüdür. Ama bu gücünü her zaman ortaya koymasını sevmez. İster ki, erkek göstersin gücünü. İster ki, erkeğin gücü kendisine huzur versin. Kendi kendine yapabileceği şeyleri bile erkeğin yapmasını bekler. Böylece hem daha kadın olduğunu hissedecektir hem de erkeğinin ne kadar güçlü olduğunu görecektir. Ancak kadın gücünü göstermek istediğinde onu engelleyemezsiniz. Yapmak istediği bir şey varsa mutlaka yapar.

Bir kadın sevgidir aslında. İçinde her zaman sevgiyi taşır. Sevdiklerinden kolay kolay ayrılamaz. Sevdiklerini kolay kolay kıramaz. Zor sever; ama,tam sever. Bir kadının tam anlamıyla sevebilmesi için yüreğinin kabul ettiğini beyninin de kabul etmesi gerekir. Ve sevmezse de onu asla sevmeye zorlayamazsınız. Belki kolayca yüreğine girebilirsiniz. Ancak beyninde yer etmemişseniz her an terk edilebilirsiniz. Sevmediği halde terk etmeyen kadınlar da var elbette. Bunun tek nedeni ise engelleyemedikleri "acımak" duygusudur.

Bir kadın yalnızdır aslında. Hiçbir zaman kadını bütünüyle elde edemezsiniz. Kendisine ait bir dünyası vardır ve orada hep yalnızdır. O dünyaya kimsenin girmesine izin vermez. Hiçbir anahtar o dünyanın kapısını açamaz. Yalnızlık onun sığınağıdır. O sığınağa ne zaman gireceğine, ne kadar kalacağına hep kendisi karar verir. Sığınaktayken oradan çıkmaya zorlarsanız, onu sonsuza dek kaybedebilirsiniz.

Bir kadın çılgındır aslında. Neler yapabileceğini erkek aklı hayal bile edemez. Yaratıcılığının sınırı yoktur. Ama bunu ortaya çıkartmak için hayatının erkeğini bekler. Hoyratça harcamaz yaratıcılığını. Sadece erkeğine saklar. Bir kadının gerçek erkeği olmayı başarabilmişseniz çok şanslısınız demektir. Çünkü yaşamınız asla sıradan olmayacaktır.

Bir kadın hayattır aslında. Çünkü hayatın içinde olan her şey ancak kadınlar olduğunda anlam kazanıyor. Yemek yemek, su içmek bile. Bir kadının elinden içtiğiniz suyla kendi kendinize bardağı doldurup içtiğiniz su arasındaki lezzet farkını anlayabiliyor musunuz? Anlıyorsanız ne mutlu size. Anlamıyorsanız, ne yazık ki yaşamıyorsunuz.

Labirent...

Kadınları anlamaya çabalayan erkekleri, bir kez girildi mi, bir daha çıkılması mümkün olmayan bir labirentte çaresizce dolaşanlara benzetiyorum. Zeki olmayan bir erkek, kadın denilen o labirentin koridorlarında kaybolmaya mahkûmdur. Aslında zekasını kullanabilen erkeğin o labirente girmeyi tercih etmemesi gerekir; ama, hem kendisine fazlasıyla güvendiğinden, hem de içini kemiren merak duygusu ağır bastığından ister istemez sonu belli olmayan o maceraya atılacaktır.

Macera diyorum; çünkü o labirentte erkeği bekleyen sayısız sürprizler vardır. Ve asıl keyif, o sürprizlerle karşılaşıldığında yaşanır. Dönülen her köşede bambaşka bir şey beklemektedir erkeği. Her sürpriz, bir sonraki sürprizin habercisidir; ama, sürprizin ne olacağı konusunda en ufak bir ipucu bile vermemektedir. Çünkü kadın gizemini korumayı sever. Yavaş yavaş çözülmeyi bekler.

Bir kadını keşif serüveni işte bu yüzden heyecan vericidir. Labirentin koridorlarında dolaşırken adrenalin tavan yapar. Bir kadının aklından geçeni öğrenmek için yapılan her faaliyet, hani kimimizin yapanlara 'deli' gözüyle baktığı extreme sporlardan biriyle uğraşmaktan farklı değildir. O sporlarda da zorluk derecesi çok yüksektir; ama, alınacak haz ve duyulacak heyecan daha ağır basar.

Kadın, her erkeğin labirente girmesine izin vermez elbette; ama, her izin verdiğine de labirentte koşulsuz dolaşma hakkını sunmaz. İyi sürprizler olduğu gibi erkeği kötü sürprizler de beklemektedir. Ne gariptir ki, kötü sürprizler erkeği o labirenti keşfetme konusunda daha da kamçılar. Erkek hırslandıkça kadın kapanır. Çünkü keşif süreci bir savaşa döndüğü an kadın savunmaya geçer ki; bu erkek için kendi başlattığı savaşı daha baştan kaybettiği anlamına gelir. Savunmada olan, kapılarını kapayan kadına ulaşmak mümkün değildir. Zaten erkek savaşla birlikte kendi kendini imha etme sürecini de başlatmış olur.

Başta, labirente girenin çıkması mümkün değil dedim; bu doğru. Labirentten çıkış 'çözüm' demektir; ama, bir kadının tamamen çözülebilmesi sözkonusu bile olamaz. Kadın yol gösterir; ama, gösterdiği yol asla 'çıkış' için değildir. O sadece sizin labirentteki yolculuğunuzu biraz daha kolaylaştırır hepsi bu. O zaman yapılacak şey, labirentte dolaşmanın keyfini çıkarmak ve çıkış kapısını aramak yerine o dünyanın içinde bir yer bulmak.

Ben mi? Labirentlerde dolaşmayı seviyorum...

Kadın ve melek

Bir melek gibi, sevgi vermek için gönderilmiş dünyaya. Karşılık beklemeden sevmenin, fedakarlık yapmanın, şefkatin ne demek olduğunu öğretmek için. Bıkmadan anlatmak üzere, sabretmek üzere, her türlü kabalığa, aşağılanmaya, alay edilmeye, yalanlara, ikiyüzlülüğe dayanmak üzere gönderilmiş. Dayanıklılığı, ne kadar anlayışlı olduğu ve kararlılığı test edilsin diye dünyada kadın.

Bu melek, aşkın kılığına bürünüp gelmişse kapınıza, dünyada sizden daha şanslı bir erkek olamaz. Ama görmeniz gerekiyor, anlamanız gerekiyor. Kapıya gelen herhangi biri gibi davrandığınız an meleği küstüreceğinizi ve onun bir başka kapıya doğru yola çıkacağını bilmeniz gerekiyor. O melek, aşkı sunmaya bu kadar hazırken siz burun kıvırırsanız, bir başka meleğin de kapınıza uğrama olasılığını yok denecek kadar azaltırsınız.

Kapınıza gelen o kadını, hayatınızın sonuna kadar bir melek olarak yaşatmayı başarırsanız ne mutlu size. Ama bu hiç de kolay değil. Kırılgan, alıngan, ilgisizliğe tahammül edemeyen, dünyanın merkezi olmak isteyen, sevgiye her daim aç, zaman zaman yırtıcı bir kaplan gibi saldırgan olduğunu unutmamalısınız. O, size her şeyini vermeye hazır ya, sizden de aynı şeyi bekleyecektir. Bir erkeğin bunu yapabileceğini de bilir. Yapamayacağınız şeyi istemez zaten. Ama yapabilecekken yapmamanız halinde er ya da geç size bunu ödetecektir.

Hayır, klasik bir intikamdan söz etmiyorum. Bir kadının hesap sorma yöntemi ya da öç alma yöntemi erkeklerinki gibi dümdüz bir şey değildir. Onların her şeyi ince ince hesaplayan, planlayan beyinleri öyle kusursuz bir kurgu yapar ki, siz bir şeylerin değiştiğini anladığınızda ne yazık ki çok geç olur. Kadının, isteyip de elde edemeyeceği hiçbir şey yoktur dünyada. Hayatınızı isterse, onu da ele geçirir. Direnemezsiniz bile.

Bir melek, kötülük yapamaz bilirsiniz. Kadının yaptığı da kötülük değildir aslında. Ama nasıl ki kendisi, dünyada çok şey için sınava giriyor, sizden de beklediği onun için bazı sınavlar vermeniz ve o sınavlardan da başarıyla çıkmanızdır. Bir kadının koşulsuz desteğini alan erkeğin sırtının yere gelmesi mümkün değil. Emin olun, hayatınız hep iyi yönde değişecektir. Onun zengin ruhu, yaratıcılığı, hayal gücü, size, tahmin edemeyeceğiniz dünyaların kapısını açacaktır. Bir melek varsa hayatınızda onu melek olarak yaşatmak için çaba gösterin.

İçimizdeki Kadın

Her erkeğin içinde bir kadın vardır. Bunu sadece ben söylemiyorum. Bilimsel veriler de benim bu görüşümü destekliyor. Biliyorsunuz ki; kadın kromozomu 'xx' diye kodlanır. Erkek kromozomu ise 'xy' diye. Kadınlığı belirleyen 'x' kromozomu görüldüğü gibi erkekte de var. Kadına ait diye bilinen yumuşaklık, şefkat, duygusallık, duyarlılık, detaycılık koruma güdüsü gibi özellikler aslında erkekte de var.

Ancak o 'y' kromozomu 'x' kromozomunu nasıl bastırıyorsa, erkeğin bu özellikleri kaybolup gidiyor. Kaybolup gidiyor demek yanlış olabilir, ama; kaybolmasa da içerilerde bir yerlere hapsoluyor. Böylece erkek kendini "ağlamaz, yıkılmaz, zayıflık göstermez" olarak dışavuruyor. Oysa erkek, birçok konuda kadından çok daha dayanıksız. Ben bunu kendimden biliyorum ve çok da rahat itiraf edebiliyorum.

İçimdeki kadınla ilginç konuşmalarım vardır benim. Onu asla bastırmıyorum. Bana fikirlerini söylüyor, bazen ne yapmam gerektiğini gösteriyor, kadın ruhunun incelikleri konusunda ipuçları veriyor. Bu nedenle kadınlarla iletişimde zorluk çekmiyorum. Hiçbir zaman bir kadınla aynı dili konuştuğumu iddia edemem. Çünkü "Doğada, dişi ve erkeğin birbirinden bu kadar farklı olduğu başka hiçbir canlı yok". Hatta, iki cinsten birinin uzaydan geldiğini bile söylemiştim. Kadın ve erkek 'aynı' değil biliyorum. Ama ortak bir noktada buluşabilmeleri de mümkün.

Bir kadın bir erkekten ne bekler? İşte bu sorunun cevabını erkeğin içindeki o 'x' kromozomu verebilir; ama, dinlemek gerekiyor. Zaten aslında kadınla erkeğin birbirini anlayamamasının en büyük nedeni de birbirlerini dinlememeleri. Şimdi erkekler "Peki kadın bir erkeğin ne istediğini nereden bilecek?" diye sorabilir. Bu sorunun cevabını kadınlar çoktan vermiş durumda. Kendinizi bir kadının eline teslim ederseniz emin olun çok rahat olacaksınız. Kadın beyni tüm ayrıntıları algılar ve değerlendirir. Sizin için en iyi olanı da seçer. Üstelik hiçbir kadın erkeğinin diğerlerinden daha değersiz olmasını istemez. Çünkü kadın erkeğiyle övünme yeteneğine sahiptir.

Sevgili hemcinslerim, içinizdeki kadına kulak verin. Söylediği her şey inanın bana yaşamınızı çok kolaylaştıracak. Onu dinlediğinizde de bana "Neden kadınlarla iletişim kuramıyorum" diye mektup yazmayacaksınız.

Hep o kadın vardı

Nicedir kendisiyle hesaplaşmaya girmemiş olan adam, karşısındaki kadının gözlerinde geçmişini görüyordu. Bu onu hem korkutuyor, hem de sürekli ertelediği hesaplaşmanın artık kaçınılmaz olduğunu gösteriyordu. Nereden başlamalıydı? Daha dün, "Bir daha kimseye bağlanmayacağım. Kimse benim sevgimi hak etmiyor" diye düşünürken, bugün aradığını bulmuş, biraz yorgun; ama, yorgunluğunun karşılığını almış insanlarda görülen huzur ve mutluluk dolu o gülümsemeyi taşıyordu yüzünde...

Ağzından çıkacak kelimelerin onu bir daha dönüşü olmayan bir yola sürükleyeceğini çok iyi biliyor, kendisini kontrol edebilmekle her ortamda övündüğü halde, bu kez iplerin ucunu bırakmak, karşısındaki kadının gizeminde yitip gitme duygusunu yaşamak istiyordu. Karşılaşacağı her şeye göğüs germeye hazırdı. Aslında bunu yıllar önce yapmalıydı...

O şirin öğrenci evinin duvarları arasında kalmış, en yoğun duygularla yaşanmış kısacık bir aşkı şimdi sonsuzluğa ve hayatın tam içine taşımak istiyordu. Sorular da tam o noktada başlıyordu... Neden? Belki de orada kalmalıydı tatlı bir anı olarak. Ama adam biliyordu ki, kimi sevse, kimle aşk yaşasa şimdi karşısında soran gözlerle kendisine bakan ve ağzından çıkacak her yanıtı kapıp değerlendirmeye hazır o kadından bir iz aramıştı. Bu arayış peşini asla bırakmayacaktı. O kadına duyduğu ve yıllardır dile getirmekten özenle kaçındığı özlemi taşımak ağır geliyordu adama artık. Bu yüzden o aşk, hiçbir zaman tatlı bir anı olarak hatırlanmamıştı. Ne zaman aklına gelse, içi burulmuş, keşkeler birbiri ardına sıralanmış, yarım kalmışlık duygusu beynini ve yüreğini ele geçirmişti...

Karşısında konuşan kadının sözcüklerinde aynı yarım kalmışlık duygusunun zaman zaman onu da ele geçirmiş olduğunun ipuçlarını buluyor; ama, ondaki tedirginliğin kendisindeki cesareti biraz törpülediğini hissedince kızıyordu. Üstelik kızmaya hakkı olmadığını bile bile... Kadına ne istediğini açıkça söylediğinde bile "Göreceğiz..." yanıtıyla karşılaşınca hayatının en zorlu sınavlarından birine gireceğini anlıyor, bu durum o ana kadar hiç kimseye duygularını test etme olanağı vermemiş adama yabancı geliyor, ve o an oradan kaçıp gitme hissi gelip çörekleniyordu beynine...

Ama bu kez yapmayacaktı. Bir kez kaçtığında neler yaşadığını biliyordu ve aynı şeyi yeniden göze alamayacaktı. Adam ve kadın masadan kalkıp kentin karanlık sokaklarında birlikte yürürken attıkları adımların onları nereye götüreceğini çok iyi biliyorlardı. Aşk onları çağırıyordu ve bu kez ikisi de bu çağrıyı karşılıksız bırakmamaya kararlıydı. Tedirginliği yenmek için ihtiyaçları olan tek şeyse zamandı...